第61回
全日本合気道演武大会

主催＝（公財）合気会、後援＝スポーツ庁、東京都、（公財）日本武道館、NHK、日刊スポーツ新聞社、協力＝全日本合気道連盟

植芝守央道主の総合演武

甦りの前大会から、
さらに、前に進む大会に

第61回全日本合気道演武大会が５月25日正午より、日本武道館で開催された。約7500名の演武者、１万人に近い観客の参加となった。前回のコロナ禍を経ての甦りの大会から、さらに一歩踏み出して前に進む大会になった。

多田宏本部師範の演武

出場者7500名 瞬く間に3階席まで埋まる盛況

第61回全日本合気道演武大会は5月25日正午よりの開会に先立ち、令和6年能登半島地震の被災者に黙禱が捧げられた。

国歌斉唱のあと、大会副会長の可児晋（公財）合気会理事から開会の辞が述べられた。

続いて主催者挨拶として大会会長の植芝守央道主より「本大会は公益財団法人合気会あげての最大の行事です。現在、合気道は世界約140の国と地域に大きな輪ができあがっております。

このような大きな輪ができあが

国歌斉唱

開場してすぐに3階まで観客で埋まる

待ちに待った大会開催

開場を待ちわびていた人たちが続々と

開場を待つ来場者の列

受付も大忙し

る要因は開祖・植芝盛平翁が創始した合気道の素晴らしさ故ですが、本大会が合気道普及・振興の原動力といっても過言ではないと思います。

昨年、第60回の大会はコロナ禍を経ての甦りの大会でした。今年はさらに一歩踏み出して、前に進む大会にしてまいりましょう。

演武される皆様方は、先達への感謝の気持ちを忘れずに、一期一会の念をもって、演武に臨んでいただきたいと思います」と述べられた。

大会の幕開けは関東学生合気道連盟

続いて元国務大臣・(公財)日本武道館常任理事・(公財)合気会理事・山谷えり子参議院議員、山田美樹衆議院議員からの来賓挨拶、来賓紹介、祝電披露のあと、演武に移った。

大会会長・植芝守央道主

大会副会長・可児晋(公財)合気会理事

元国務大臣・(公財)日本武道館常任理事・(公財)合気会理事・山谷えり子参議院議員

山田美樹衆議院議員

林典夫(公財)合気会常務理事

演武は師範・指導員、登録道場・団体、地域連盟、学生演武、中・高等学校、文化センター、社会人団体、IAF（国際合気道連盟）、海外道場、合気道本部道場一般、防衛省合気道連合会、合気道学校が出場。

第一部の最後は植芝充央本部道場長が演武を行なった。

続いて第二部が行なわれ、大会の最後は植芝守央道主の総合演武で締めくくられた。

閉会式では林典夫（公財）合気会常務理事より閉会の辞が述べられ大会は終了した。

第一部を締めくくった植芝充央本部道場長の演武

合気道にかける気持ち・情熱が場内に満ち溢れた

今大会は開場後、瞬く間に3階席まで埋まる盛況ぶり。「今年は人数が多い」という声が会場の方々で聞かれた。

畳の上で日頃の成果を精一杯に披露する人々、今か今かと自分の出番をアリーナで待つ人々、演武を終え晴れ晴れとした表情で退場する人々……合気道にかけるそれぞれの気持ち・情熱が常に場内に満ち溢れていた。

朝からの五月晴れの中、演武者たちの表情は皆、明るく、さわやかであり、心地良く汗をかいたことがうかがえた。

道主の挨拶の言葉にもあったように、コロナ禍からの甦りを経て、さらに前に進む素晴らしい大会が実現された。

本部道場一般の演武（稽古法）

演武終了後、道主に花束が贈呈された

7500名が演武披露

中学校演武

全国高等学校合気道連盟の演武

本部道場少年部の演武

海外団体の演武

老若男女、国籍もこえて一期一会の演武

笑顔があふれる日本武道館

日頃の成果を披露した演武者に拍手

大会出場を記念して撮影

アリーナも出番を待つ人でいっぱい

さあ出番だ!!

自分たちの出番を待つ演武者たち

令和6年度大学合気道部員海外派遣（スロバキア）

トルナヴァ市のシティ・スポーツホールで行なわれたスロバキア合気道協会の30周年記念講習会

合気道トルナヴァ道場での稽古のあとに

令和6年（2024）6月5日から12日まで、令和6年度大学合気道部員海外派遣（スロバキア）が実施され、6名の大学生が講習会・演武会に参加した。

本企画は植芝充央本部道場長の海外出張に学生を同行させることにより、学生に合気道が海外に拡がっていることを実感してもらうとともに、現地での稽古と交流を通じて学生自身の今後のさらなる稽古意欲の向上、学生合気道の活性化をはかるものである。

6日は植芝充央本部道場長指導による合気道トルナヴァ道場（マリオ・チェルニー氏主宰）の稽古に参加。この稽古には約50名が参加した。

7日から9日までは植芝本部道場長の指導によるスロバキア合気道協会の30周年記念講習会がトルナヴァ市のシティ・スポーツホールで行なわれ、計4回の稽古に近隣諸国からも合わせて約400名が参加。8日に行なわれた演武会では、学生たちが幕開けの演武を務め、堂々とした演武に会場からは惜しみない拍手が送られた。

また、学生たちは稽古以外の場でも、祝賀会・観光などを通じて現地会員と積極的に交流し親交を深めた。今回の派遣を通じて課題、手ごたえ、刺激を得られたようで、今後も長く稽古を重ねていくための大きな糧となったことだろう。

颯爽と演武に臨む派遣学生たち

現地会員の案内で観光。稽古以外の場でも積極的に交流

■74ページでは、詳細なレポートを掲載

本部道場鏡開き式

本部道場鏡開き式が、令和6（2024）年1月14日に行なわれた。4年ぶりに制限なし、例年どおりの開催となり、約550名が参集した。植芝守央道主と植芝充央本部道場長による奉納演武のあと、鏡開き式推薦昇段者の発表と証書授与が行なわれ、初段から七段位までの各段位の代表者と八段位の昇段者に道主から証書が授与された。

4年ぶりに行なわれた直会では、参加者一同で新年の喜びを分かち合い、さらなる精進を誓い合った。

昇段者に道主から証書が授与された

直会が4年ぶりに盛大に行なわれた

令和5年度指導者候補講習会

令和5（2023）年度指導者候補講習会が、1月27・28日に港区スポーツセンターで行なわれ78名が参加した。（公財）合気会の主催で、40歳以下の弐段から四段までを対象として、指導法や指導時に注意すべき点を学んでもらい、次世代の指導者を育成することを目的としている。

植芝充央本部道場長、本部道場指導部師範が実技講習を行ない、前川直也国際武道大学体育学部教授がコーチングの講義を行なった。閉会式では植芝守央道主より修了証が参加者の代表に手渡された。

指導者候補講習会。開会式で挨拶する道主

植芝本部道場長による講習

合気神社例大祭
開祖・吉祥丸二代道主慰霊祭

合気神社例大祭と開祖・吉祥丸二代道主慰霊祭が、植芝家主催により令和６（２０２４）年４月29日、茨城県笠間市の合気神社で行なわれ、約１２００名の参拝者が参集した。

神事に続き、植芝守央道主と植芝充央本部道場長が奉納演武を行なった。

大祭主催者として挨拶する道主

約 1200 名が参拝した

合気ニュース aiki news

日本武道館鏡開き式・武道始め
武道功労者に冷水照夫師範
優良団体に大分県合気道連盟

日本武道館鏡開き式・武道始めが令和６（２０２４）年１月８日に開催され、各武道による模範演武と稽古始めがあった。

また、令和５年度の武道功労者・武道優良団体の表彰があり、合気道では武道功労者として冷水照夫師範（和歌山県合気道連盟理事長・全日本合気道連盟監事）、優良団体として大分県合気道連盟が表彰された。

前列右から２人目・冷水照夫師範、後列右から２人目・渡辺和郎大分県合気道連盟顧問

藤巻宏本部道場指導部師範の指導による稽古始め

合氣道探求 第68号 2024.JUL. 目次

AIKIDO

特集 **第61回全日本合気道演武大会**

前編　詳細レポート …… P001

後編　師範・指導者演武紹介 …… P020

巻頭カラーニュース 令和6年度大学合気道部員海外派遣（スロバキア） …… P006

本部道場鏡開き式、令和5年度指導者候補講習会 …… P007

合気神社例大祭、開祖・吉祥丸二代道主慰霊祭 …… P008

合気ニュース 日本武道館鏡開き式・武道始め

武道功労者に冷水照夫師範、優良団体に大分県合気道連盟 …… P008

道主巻頭言 **支え合う心** …… P010

道主対談 **お互いに思いやる心地良さ**

裏千家名誉師範　秋山宗和 …… P012

連載 **第2回　実りある稽古のために**――基本の体捌き …… P040

合気道人生 第62回　村上章博（前広島県合気道連盟理事、東広島合気会会長） …… P048

師範の横顔 第59回　追分拓哉（福島県合気道連盟名誉会長、合気道福島武道館館長） …… P052

師範の横顔 第60回　吉川　滋（千葉県合気道連盟顧問、八千代合気道友会師範） …… P056

次世代の指導者に訊く 第7回　田中英生（合気道田中道場代表） …… P060

令和6年度大学合気道部員海外派遣（スロバキア） …… P074

連　載 **部活動レポート** 第12回　田園調布雙葉中学高等学校 …… P063

言葉の掛け方一つでガラリと変わる**子供の心に響くコーチング** 第7回　監修：前川直也（国際武道大学教授） …… P066

ハラスメントと向き合う一**より良い稽古の環境作りのために** 最終回　文：南部さおり（日本体育大学教授） …… P070

障害とともに 第５回　加藤知子 …… P076

問わず語り 黒田武一郎／酒井　亨 …… P086

合気道仲間のお仕事拝見！　人文系私設図書館ルチャ・リブロ　青木真兵 …… P080

われら合気道家族　第60回　鈴木さん一家 …… P083

全国道場だより …… P088

合気道トピックス …… P092

海外派遣レポート …… P096

第14回国際合気道大会のお知らせ …… P100

（公財）合気会行事記録＆予定 …… P101

道主巻頭言

支え合う心

合気道道主　植芝 守央

私たちが子供の頃、稽古事に通い始めれば真面目に長く続けることを求められていた気がします。始めてみたものの気が進まなくなってしまっても、そう簡単にやめることはできなかったのは私だけではないと思います。当時の私には続けることの大切さなどわかるはずもなく、心半分でいやいや続けていた記憶があります。確かに続けることの大切さ・良さは実際に続けてみなければわからないことだったのだと思います。

50年以上合気道の道を歩み続け、道主として25年間道を見つめ続けた今だからこそ、合気道の素晴らしさは語りつくせぬほどわかります。平坦な道の歩みだけではなく、それと同じくらい茨(いばら)の道があったことも事実です。一つの事を長く続けるということの良さは喜び・悲しみ・苦しみすべての時を通り抜け、その時々頑張り、耐え忍んでこそわかることなのだと思います。

昨今、うっかり「がんばれ」「耐え忍ぶ」などと言うことは差し控えなければいけませんが、物事を長く続けてゆくこと、突き詰めてゆくうえで、「がんばる」「耐え忍ぶ」ことはとても大切なことではないでしょうか。人に対しては差し控えても自分に対しては耐える、がんばれは言い続けるつもりです。豊かな時代、便利な時代だからこそ甘えがちになる心に厳しさが必要だと思うからです。

その豊かな・便利な時代が時として人間が生きてゆく力=五感を低下させてしまっているように感じます。近年日本各地で毎年のように自然災害が起こっておりますが、そのたびに自然の驚異に対して人間は無力であることを感じてしまいます。電気・水道、整備された道路で物資が運び込まれるといったインフラが途絶えてしまえば手も足も出なくなり、もちろん命にさえかかわります。災害時でない日常の生活すら、多くの方々がスマートフォンを片手に生

活をし、インターネットに頼りきっている昨今、それらが故障したり、情報が失われ途絶えた時、パニックにならないまでも途方にくれてしまいます。しかし、この有能な物を作り上げたのも人間、その有能さに頼り、振り回されているのも人間です。ここで、やはり人間として絶対残してゆかなければならないことは人としての心です。感謝する心、支え合う心は最も大切なものと思っています。肉体で言えば血が通っているということです。

災害時に話を戻せば、閉ざされた中で困窮した人同士で支え合い、小さな力を持ち合って生き抜く力に変えてゆくことができるのも人のなせる業です。最後はやはり人と人が心・力を合わせることなのではないでしょうか。

支え合う・持ち合う・力を合わせるといった「合」という素晴らしい力を開祖植芝盛平翁は見抜き、「和合」という人としての最高の心を「合気道」という武道で育てゆこうとなさったのだと私は思っています。

今年9月30日〜10月6日まで第14回国際合気道大会が8年ぶりに開催されます。この8年間にはコロナ禍でつらい時期もありました。そのような時期を耐え忍び、乗り越え、今この大会に備え皆で頑張っております。

開祖が創始した合気道を長く続けてこられている方々がいろいろな国々から相集いて、心を一つに互いを思い合い、力を合わせて素晴らしい大会にしていきたいと願っています。

お互いに思いやる心地良さ

PROFILE

秋山宗和（あきやま・そうわ）
昭和20（1945）年、東京生まれ。東京工業大学電子工学科卒業。昭和51（1976）年、裏千家学園茶道専門学校・十二期卒業。裏千家名誉師範。合気道五段位。

好き嫌いという感覚がないままに

道主　本日は長く合気道を稽古されている裏千家名誉師範に茶道と合気道に通じる心をうかがいたいと思います。その心を日々稽古されている方々に感じ取っていただければと思います。まず、先生がお茶の世界へと進まれたいきさつをお聞かせください。

秋山　私の家は戦前、祖母の代からお茶を教えています。祖母・母・叔母の三人が指南していましたが、私はお茶の道に進む気はありませんでした。物を作ることが好きで、大学は理工系に進みました。どこか会社に勤めて研究を続けようと思っていました。

大学紛争が起きた頃で、大学院の1年生の時に母が亡くなり、その4か月後に祖母が亡くなりました。いろいろと心を揺さぶられるものがあり、会社に勤めるのは止めて、もともと興味があった、陶芸の世界に進むことにしました。

大学を卒業して半年後に益子焼の島岡達三先生（人間国宝）のもとに押しかけまして、半ば無理やりに弟子入りし、1年半ほど修業しました。一方、我が家では叔母が一人でお茶を教えていたのですが、お弟子さんたちから私に「跡を継いでほしい」という声が上がっていました。

子供の頃から見ていたので、お茶についてある程度の知識はありましたが、人に教えるほどの技術はありません。そこで、陶芸からは離れて、京都の裏千家の専門学校で3年間、勉強したのちに、跡を継いでお茶を始めました。それからもう50年近くになります。

道主　それまでとは全く違う分野で、指導を始められた頃の印象はいかがでしたか。

秋山　家が稽古場で、子供の頃から見ていたので、好き嫌いという感覚がないままこの世界に入ってしまいました。特別な世界に入ったという感覚はありませんでした。半日ほど座り続けないといけないので、慣れるまでは大変でした。

道主　私も家が道場で、物心ついた頃から合気道を見て育ちましたから、特別な世界という感覚がなかったという印象は私にもよくわかります。

秋山　なんとなくではありましたが、茶事をしている雰囲気はいいなと感じていました。

道主　楽しさ、良さを肌で感じとられていたことが現在にいたった要因だと思います。

教えるプロ

道主　読者の中にはお茶への馴染みが薄い方も多いかと思います。お茶の稽古というのはどのように行なわれるのかを教えていただけますか。

秋山　茶道にはいろいろな面がありまして、点前以外にも歴史的なこと、道具、着物、花、お菓子、茶室建築……覚えることは多岐にわたります。

主に稽古で教えることは点前といって、お茶を点てたり、炉や風炉に炭を入れる所作です。まずは部分稽古から始めます。帛紗の捌き方、茶器の清め方などを稽古し、それを一つにまとめた形で盆略点

■炉と風炉……炉は茶席で湯をわかす道具。11月～4月の冬季は炉を使い、5～10月頃の夏季は風炉を使う。風炉は客から遠い畳の上に配置され、炉は客を温められるよう客に近い囲炉裏の上に配置される。
■帛紗……点前の中で道具を清めたり、釜の蓋を取る時に使う布。

前（丸盆の上に、必要な道具を乗せて行なう最も簡略的な点前）を稽古します。その後、薄茶、濃茶へと点前を進めていきます。薄茶、濃茶といっても、抹茶の濃度だけではなく、茶葉・点て方・茶碗などにも違いがあります。

道主　春夏秋冬によってお点前も変わり、それによって活ける花も、お出しするお菓子も変わっていくとうかがっています。

秋山　そうですね。対談の前に道主に一服差し上げた時に、お出ししたお菓子は「落とし文」というものです。オトシブミという昆虫が葉を丸めて卵を忍ばせたものが、巻いた手紙の形に似ているので、昔の人は、鶯の「落とし文」などという名前をつけたのですが、それを模したお菓子で、初夏の季語にもなっています。

　床の間に花も飾らなければならないのですが、あいにく昨晩まで京都に出張していて帰ってきたのが遅かったものですから、支度が整いませんでした。梅雨前のこの

時期はちょうど冬から夏への道具の入れ替えなどで、季節に追われているように感じることがあります（笑）。

道主　そのようなお忙しい中、お時間をいただきありがとうございます。

秋山　季節だけでなく場所、相手、道具などによって点前も変わっていきますので、覚えることはたくさんあります。

道主　基礎的なことを身につけたうえで、段階を踏みながら、多岐にわたる内容を稽古していくわけですね。

秋山　最終的には茶事といって、懐石も含めて一連のお茶を差し上げる集まりを主宰すること。それができるように、また客になれるように稽古していただいていますが、そこまでやるのは大変なので、最近ではお茶だけを振る舞う茶会を行なうという形も盛んになっています。

点前というのはできて当たり前で、そのうえでお茶を楽しんでいただきたいのですが、皆さんなかなか点前の習得から抜け出られないものです。ある程度できれば、あとは楽しんでいただければいいと思うのですが。

道主　合気道でも技法の習得にとどまることなく、稽古を通じて心の豊かさを養っていただきたいと思っています。

合気道の場合は指導者が手本を示し、それを見て反復稽古するわけですが、茶道の場合も同じでしょうか。

秋山　そこが少し違いまして、茶道では見本は示さず、点前をしていただいて、それを見ながら言葉で指導するという形式をとっています。

ですからお茶の先生は、指導には慣れていますが、必ずしも点前に優れているというわけではありません。お能をされている方から「お能はプロとアマに歴然とした差がある。お茶はプロとアマの差がそれほどありませんね」と言われたこともあります。ただし、それは点前に関してのみの話です。つまり、お茶の先生というのは点前のプロではなく、指導のプロという意味なのです。点前がよくできる人が、上手く教えられるのかというと、それはまた別問題なのです。

お茶の心は思いやり

道主　先生が合気道を始められた経緯をお聞かせください。

秋山　武道を子供に習わせたかったのですが、一人でやらせるよりも一緒にやってみようと思い、私も稽古を始めました。子供は受験のためすぐに通わなくなってしまい、結局、私だけが20数年続けることになりました。

道主　長年、合気道の稽古を続けてこられて、茶道と通ずると思われた点はございますか。

秋山　どちらも形を大事にしていますね。形、姿勢を綺麗にすることは点前でも大事です。

道主　合気道の稽古を続けられて、どのようなことを感じられましたか。

秋山　普段の仕事が座布団の上に

半日座ったままですから、健康上のことも考えると、合気道を稽古していて良かったと感じています。
　同年代の人はだいたい足が弱ってしまっています。家元直門で75歳以上の方で、きちっと立ち座り、点前ができている人となると20数人のうち3、4人です。「足腰が丈夫ですね」と感心されるのですが、これは合気道のおかげだと思っています。

道主　合気道もさることながら、やはり20数年続けてこられた、そのお気持ちが成果を生んでいるのだと思います。うれしいことです。

秋山　合気道を習い始めた頃は、帰ると足が張って、お茶の稽古をつけるのも大変でした。それでも人間というのは慣れてくるものですね。2、3年でそういうことはなくなりました。
　もちろん精神的な面も素晴らしいと感じています。合気道の心を実生活で活かすというところまでは至っていませんが、健康上はかなり役立っています。歳をとっても稽古できるのが良いですね。競技や試合がありませんが、そうでなければ私には続けられなかったと思います。

道主　優劣や勝敗を競うものではなく、稽古する中でお互いに尊重し合う心を養っていきます。

秋山　お茶でもわびさびとか難しいことを言われますが、大切なのは相手を思いやる心です。そういう点は茶道と通じるものを感じます。

道主　相手を思いやる。これはお茶をふるまう側だけでなく、客の立場においても大切なことではないかと思うのですが、いかがでしょうか。

秋山　おっしゃるとおりです。茶道の大切な心得として千利休の目指した「四規七則」という言葉があります。四規の中の和敬という言葉は、まさにそのとおりですし、七則の中には「相客に心せよ」というのがあります。
　人を楽しませることは、簡単なようで案外と難しいものです。招いた亭主と招かれた客の心が通い合って初めて心地の良い空間が生まれます。このことを茶道では一座建立という言葉で表現します。
　亭主も客も相手を思いやる気持ちが何より大切です。そのような気持ちをもって、まずは楽しく一服のお茶を楽しみます。
　また、一期一会という言葉もあります。稽古でも茶会でも、日常においてもその瞬間は二度と巡り会えない、ただ一度の出会いです。その機会・場を大切にして、主客ともに盛り上げていくことが大事です。

道主　合気道の稽古も同じですね。お互いが尊重し合い、気持ち良く稽古することが大切です。一つの技、一度の稽古を一期一会としてとらえ、大切にして丁寧に行なうことが実りある稽古に繋がります。

楽しむこと、続けること

道主　茶の湯には長い歴史があり

ます。社会・時代が変わっても変えてはいけない部分、一方で適応させてきた部分があると思います。

秋山　茶道には明治になってから考案された立礼（りゅうれい）というものがあります。外国の方を招くために考案された、テーブル式で行なう方法ですが、最近では足の悪い方や正座が苦手な方でもお茶を楽しめるよう、盛んになってきています。風情にいま一つ欠けるところはありますが、立礼には立礼の良さがありますし、二百年、三百年と時を重ねるうちに立礼なりの風情というものが出てくるのかなという気もします。

正座については年齢の問題もありますが、畳で生活する機会が減ってきていることも影響しています。体型も正座しづらいものになっているように見受けられます。

道主　稽古を始めたばかりの海外の方を見ていて同じようなことを感じますが、最近では日本の子供たちにも同じような傾向があります。立ち方・座り方の指導から始めるような時代になってきています。

秋山　この先、どうなるのかなという気もします。

道主　慣れるまでは大変かもしれませんが、稽古を始めた方は、その道に取り組もうという気持ちがあるわけです。指導者もその気持ちを汲（く）んだうえで、自分たちが稽古を始めた頃とは時代が違うのだということ、相手の立場を理解してあげるということが大切になります。

秋山　ウォーキングなどで足腰を鍛錬するという話をよく聞きますが、立ち座りで使う筋肉とは違うのでしょうね。足腰が弱っていない若い人でも茶会の手伝いなどで、翌日、足腰が筋肉痛になるといいます。

道主　お茶でも姿勢を整え、真っ直ぐに立つ、座るというだけでも、かなり足腰を使っていると思います。

秋山　茶道は年齢に関係なく長く続けられものです。何十年と続けていらっしゃる方もいます。なるべく楽しんで、長く続けていただければいいかなと思っています。そういう状況を作っていきたいです。点前はともかくとして、客として座っていただくだけでもいいのです。正座が難しいのであれば、さきほどお話した立礼式もあります。腰掛けをご用意したり、今日ご用意したような掘形の席であってもいいと思います。

道主　合気道も理念、稽古法は変わりませんが、道場などの稽古環境は状況に合わせて変えていくことも必要だと思います。

良いものは必ず伝わる

道主　茶道の歴史、また普及という観点からお話をうかがいたいと思います。織田信長、豊臣秀吉も茶の湯を嗜（たしな）んでいたと聞いています。その頃の点前はどのように行なわれていたのでしょうか。

秋山　信長がどういう点前をしていたかはわかりませんが、千利休

の時代になってから正座で行なうようになったと聞いています。それまでは片膝を立てて行なっていたそうですね。

　正座で行なうようになってから、それに合わせて点前も工夫・整理されました。それから400年以上の時が経っていますので、いろいろな変遷を経て現在の形になったと思われます。ただ、利休の頃と、それほど大きな違いはないと思います。

道主　現在のように一般の方々に普及されていった歴史についてお聞かせください。

秋山　利休の頃に非常に盛んになりますが、その後100年ごとに衰退と、利休回帰の隆盛を重ねます。

　その後、明治維新により大名という後ろ盾がなくなり、茶道各流派は苦しい状況になります。明治以降、二、三代そういう状況が続きました。

　一方で明治末期から大正にかけて、益田孝（三井財閥）、高橋義雄（三越）、五島慶太（東急電鉄）、根津嘉一郎（根津財閥・東武鉄道）といった財界の富裕な人々が茶の湯に興味を持つようになりました。彼らは茶人としても知られています。

　近代数寄者（すきしゃ）と呼ばれる彼らが、大名たちが手放した茶の湯の名物道具を日本美術という観点から積極的に蒐集（しゅうしゅう）し、豊かで豪華な茶の湯をつくりあげました。

　流儀茶道の方ではその後、近代茶道の創始者といわれる裏千家十三世・圓能斎鉄中宗室（えんのうさいてっちゅうそうしつ）が若い世代の教育に役立てようと、女学校で茶道を教えるようになりその門戸を広げました。さらに昭和になり女子教育が盛んになるとともに急激に普及し、茶道人口の増加のきっかけとなりました。

道主　大変な時期、波があったとしても、良いものは、必ずそれを次世代に伝えようとする人がいて、絶えることなく後世に残っていくのでしょうね。

　当時の女学校ですから、ある程度の階層の方々が嗜まれていたと思います。学校を卒業し、嫁いだ先でも茶の湯を楽しみ、家庭で子供たちに茶道を教え、一般に普及されていったのでしょうね。

秋山　そうですね。学校茶道というのは裏千家にとって大変大事な分野となりました。

道主　学校への普及は合気道の広がりにおいても大きな要因となりました。戦前は一部の限られた層の方々に教授されていましたが、戦後に吉祥丸二代道主が大学への普及を進め、大学で稽古された方々が卒業後、各地域で道場・団体を立ち上げ、社会に拡がっていきました。その取り組み、今日の拡がりを見る時、二代道主の先見の明であったとつくづく思います。

秋山　私も茶道を中学校のクラブで教え始めてからもう10数年経ちます。中学生を教えるというのは大変です。物事がわかっているようでいて、わかっていない世代です。この子たちに興味を持ってもらうために、良いお菓子を用意するようにしています。そういうことをきっかけに茶の湯に親しんでもらえればと思います。

道主　お菓子は茶道の一部ではあ

りますが、それでも良いものに触れてもらうということが大事なのだと思います。良い物は良いという普遍性を感じとってもらうことが、興味に繫がるのだと思います。

秋山　大人の茶事になれば、お茶、お菓子だけでなく、懐石やお酒も出ますし、楽しみが広がっていきます。そこまで続けてもらえるように、まずは良いお菓子で茶道の楽しさに触れてもらうようにしています。

道主　合気道も武道の必修化に伴い、授業に採用する中学校も出てきています。合気道の良さに触れてもらいたいと思います。

秋山　合気道は怪我も少ないでしょうし、学校の授業にとても良いと思います。

道主　合気道の稽古にも通じるお茶の心についてうかがえました。本日はありがとうございました。

秋山　こちらこそお越しいただきありがとうございます。合気道の稽古もできるだけ長く続けたいと思います。今後もよろしくお願い申し上げます。

●解説コラム――

お茶の歴史と流派

日本にお茶が広まったのは鎌倉時代、臨済宗(りんざいしゅう)を開いた栄西(えいさい／ようさいと2つの読みがある)が中国の宋からお茶を持ってきたのが始まりと言われています。

室町時代には村田珠光が質素な茶室や茶道具を使用した、亭主と客人の交流を重んじる「侘び茶」を成立。その「侘び茶」を発展させたのが千利休です。利休は茶室の造りや茶道具に深いこだわりをもち、現代の茶道が確立されました。

千利休の子孫たちが作った「裏千家」・「表千家」・「武者小路千家」は、三千家と呼ばれる茶道の代表的な流派です。

裏千家

秋山先生が教授されている裏千家は、伝統を重んじながらも時代に合わせた作法を取り入れるのが特徴です。三代目が本家の裏に隠居して始めた流派ですので「裏千家」と呼ばれるようになりました。裏千家では、茶道を「ちゃどう」と読むのが一般的です。

表千家

千家流茶道の本家でもある表千家は、古くからの作法を忠実に守っているのが特徴の流派です。

裏千家に対して「表千家」と呼ばれるようになりました。表千家では、茶道を「さどう」と読むのが一般的です。

武者小路千家

武者小路という通りにある茶室であったことが名前の由来です。武者小路千家の茶室は何度も消失し、建て直しを繰り返してきました。そのたびに茶室の無駄をなくしてきたことから、必要のない所作を省き、合理的な動きを重視するのが特徴です。

「四規七則」とは

「四規」は和敬清寂の精神。

①和やかな心であること
②お互いに敬い合うこと
③清らかであること
④動じない心を持つこと

「七則」は客人をもてなす時に大切な7つの心構え。

①茶は服のよきように点て
②炭は湯のわくように置き
③夏は涼しく冬は暖かに
④花は野にあるように
⑤刻限は早めに
⑥降らずとも雨の用意
⑦相客に心せよ

第61回
全日本合気道演武大会
師範・指導者演武紹介

大会に出場した師範・指導者の演武を、大会に臨むにあたってのコメントとともに紹介いたします。

合気道小林道場　総師範

小林保雄 八段位

第1回大会より続けて、今回で61回目の参加となりました。このような素晴らしい大会に連続して参加させていただけることに感謝いたします。

合気道祥平塾　道場長

菅沼守人 八段位

今年で57回出場させていただきます。健康に感謝、合気道に感謝しながら演武させていただきます。

本部道場指導部　師範

遠藤征四郎 八段位

通常の稽古で行なってきた事をそのまま演武にしたい。

合気道豊中正泉寺道場　道場長

嶋本勝行　八段位

やっと米寿を迎えることができました。当たり前のことを当たり前にできるように努力を続けます。

茨城支部道場指導部　師範

稲垣繁實　八段位

体術も組太刀・太刀取りも、体捌きは同じです。

奈良合気会　師範

窪田育弘　八段位

演武が見てくださっている皆様方と一体（一如）となれるように、また、楽しんでいただけるようにと思っています。『顕幽一如の真諦を知れ』

本部道場指導部　師範

安野正敏　八段位

無駄な力なしに全力を尽くそうと思っています。

本部道場指導部　師範

関　昭二　八段位

シンプルな動きを心がけます。

合気道大阪武育会　会長

木村二郎　八段位

出場させていただき感謝申し上げます。「中心軸の安定」「調和」を心がけて行ないたいと思います。

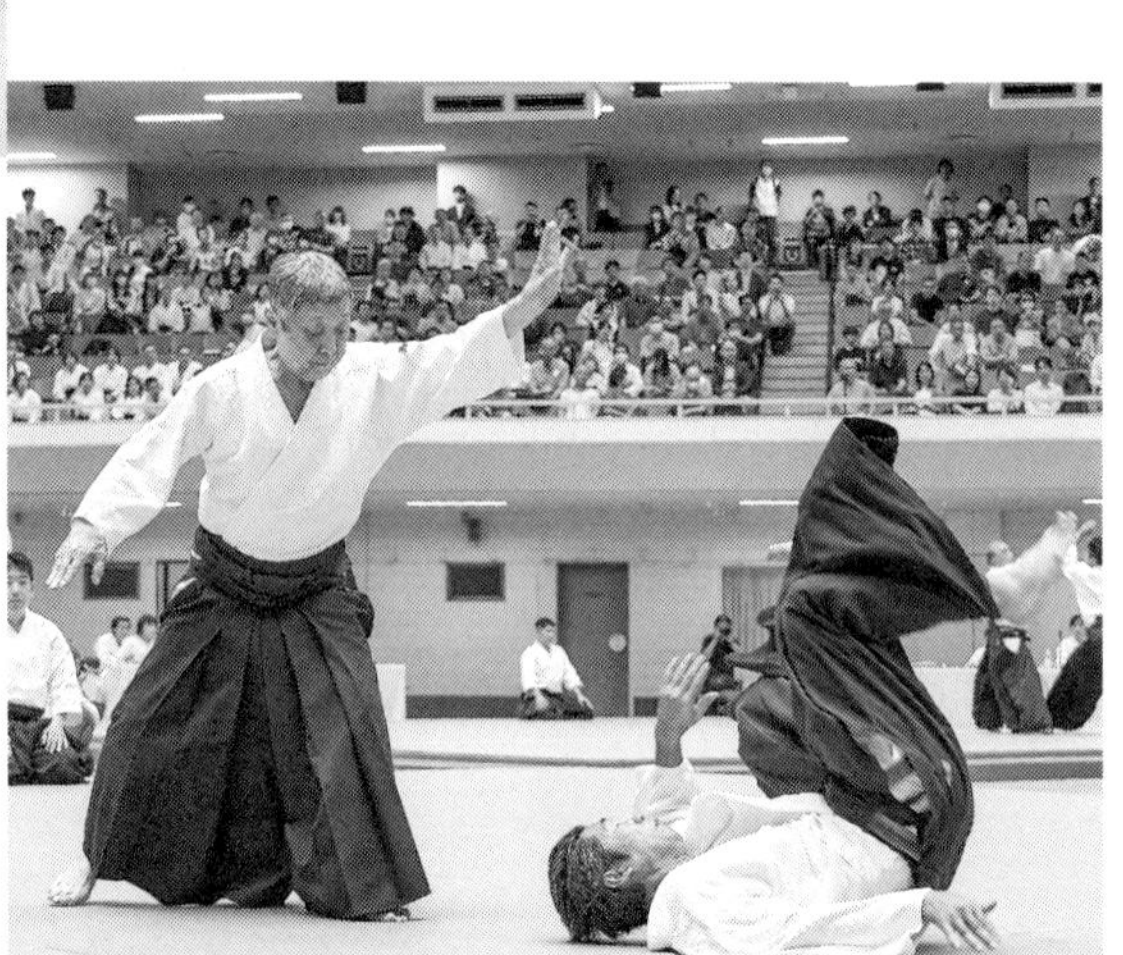

本部道場指導部　師範

鳥海幸一　八段位

稽古できるすべての環境に感謝をこめて演武します。

本部道場指導部　師範

横田愛明　八段位

合氣道五十嵐道場　道場長

五十嵐和男 八段位

今年で道歴61年を迎えました。第61回演武大会に出場できますことに感謝いたします。

合気道研心会　代表

畑山憲吾 八段位

窮まることのない合気道の深さを感じつつ、日々稽古に励んでおります。

石芯塾　師範

石原克博 八段位

只々、稽古するのみ。

尾張合気会　会長

滝本清三 八段位

皆さんに元気を与えられるような演武を心がけます。

央名会氣守道場　道場長

澤田俊晴 八段位

合気道を修練して60年、奥の深さに研鑽の日々です。

岩手山麓誠風館　館長

日高　浩　八段位

合気道は、生涯学習に最適。相手との調和、角度、合わせを大切に、自然体で演武します。

合気道爽武塾　塾長

船越光雄　七段位

第 61 回演武大会の開催おめでとうございます。謹んで演武させていただきます。

合氣道神武錬成塾　塾長

白川勝敏　七段位

東日本大震災から 13 年。犠牲になられた多くの方々のご冥福をお祈りするとともに、本日この場に立たせていただいていることに感謝いたします。

武産塾合気道修練道場　道場長

横山清一　七段位

心・気・体　無限の世界が広がる、結びと導きの探求。合気道に感謝。

本部道場指導部　師範

小林幸光　七段位

本部道場指導部　師範

菅原　繁　七段位

演武の機会をいただいたことに感謝し、精進いたします。

相生會　師範

堀井悦二　七段位

一念通天。

合気道鈴木道場　道場長

鈴木順子　七段位

全日本合気道演武大会おめでとうございます。日本武道館にて演武させていただき心より感謝しております。

本部道場指導部　師範

栗林孝典　七段位

一つひとつの技を丁寧に。

本部道場指導部　師範

金澤　威　七段位

基本技を中心に演武します。

本部道場指導部　師範

藤巻　宏 七段位

基本に忠実に動きたいと思います。

本部道場指導部　師範

入江嘉信 七段位

日頃の稽古の内容を演武いたします。

参同会合気道京都　師範

岡本洋子 七段位

体幹と腹とでお互いに繋げられるよう、日々の稽古に励んでいます。

本部道場指導部　師範

森　智洋 七段位

センター軸を意識して技ができればと思います。

合気道奥州道場　道場長

菅原美喜子 七段位

基本を大切に、合気道の楽しさ、力強さ、美しさが表現できる演武が目標です。

青森県武道館道場　道場長

田邊孝美 七段位

合気会に感謝、人生に感謝。

本部道場指導部　師範

櫻井寛幸 七段位

自身のできることを大事に演武いたします。

合氣道弘龍會明心館道場　館長

五月女重夫 七段位

教育として地域・学校普及の懸け橋になるよう精進を重ねます。

本部道場指導部　師範

桂田英路 七段位

相手と合うように意識を切らさず努力いたします。

本部道場指導部　師範

難波弘之 七段位

自然体を追求したいと思います。

茨城支部道場指導部　師範

大和田幸正 六段位

普段の稽古と同じような気持ちでリラックスした演武をしたいと思います。

本部道場指導部　師範

伊藤　眞 六段位

普段の稽古のままに、伸び伸びとした演武を心がけます。

本部道場指導部　師範

佐々木貞樹 六段位

隙のない動きを心がけます。

（公財）大阪合気会指導部　師範

吉田智晋 六段位

一瞬一瞬の積み重ねを大切にしていきます。

茨城支部道場指導部　師範

磯山俊博 六段位

演武できましたことに感謝です。

茨城支部道場指導部　師範

永島義道 六段位

普段の稽古と同様の動きで演武することを心がけます。

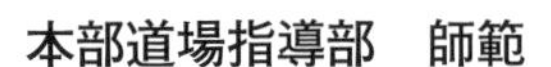

本部道場指導部　師範

鈴木俊雄 六段位

普段の稽古のとおり行ないます。

本部道場指導部　師範

小山雄二 六段位

去年の反省を活かします。

茨城支部道場指導部　師範

秋本英裕 六段位

文武両道の精神で、稽古指導及び自分自身精進しております。

本部道場指導部　師範

日野皓正 六段位

丁寧を心がけます。

本部道場指導部　師範

梅津　翔 六段位

普段どおりに演武できるよう心がけます。

本部道場指導部　指導員

里舘　潤 五段位

基本の姿勢を大切に演武させていただきます。

本部道場指導部　指導員

藤田すみれ 四段

基本を大切にします。

本部道場指導部　指導員

中村仁美 四段

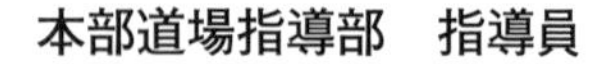

合気道ができることへの感謝の気持ちで演武します。

本部道場指導部　指導員

有馬隼人 四段

基本を大切に演武いたします。

指導者演武（都道府県連盟推薦）

都道府県連盟推薦の指導者演武をコメントとともに紹介いたします。

北海道・道央合氣道会

Travis Thomson-Carter

演武大会に参加できて光栄です。私の合気道を形つくってくださった河原幸男師範、澤田俊晴師範、そのほかすべての方々に感謝いたします。

青森県・合氣光林館道場

佐藤友和

自分本意ではなく、受けの方の力の流れを感じて力を受け入れ、受けの方と一体となった演武ができるよう精進してまいります。

宮城県・合氣道神武錬成塾

白川竜次

心を込めて演武いたします。

北海道・道央合氣道会

後藤健太

合気道を始めて 20 年の節目に双子で参加させていただき、ありがとうございます。

青森県・合氣光林館道場

長谷川清峰

丁寧な稽古を心がけています。

宮城県・合氣道神武錬成塾

佐川晴美

相手の力と衝突せず、流れるように丸く捌くことを心がけております。

秋田県・横手合気会

小松田紘史

日々稽古している師匠から伝えられた基本の技一つひとつを大事にして演武いたします。

山形県・合気道爽武塾

大場良記

誠に光栄なことと存じます。先生方、先輩方、一緒に稽古させていただいた皆様に感謝いたします。稽古産新の気持ちで合気道を探求してまいりたいと存じます。

福島県・合気道白河道場

川本武利

基本の体捌きと、相手との調和を大切に演武させていただきます。

茨城県・武産浦帆道場

小島　宏

素晴らしい合気道との出会いを大切に、大切な仲間たちと愉快に怪我なく稽古に励みさらに前へ上へと精進してまいります。

栃木県・小山合気会

影山秀樹

仲間、時間、空間、いわゆる「三間(サンマ)」が必要だと思います。合気道の稽古のたびに、三間に恵まれている幸せを感じております。

栃木県・小山合気会

猪瀬隆真

いまだ若輩の身ではありますが、去年より良く、されど基礎をしっかり固めた技ができるよう精一杯努めてまいります。

群馬県・渋川合気会相澤道場

田部井豊茂人

細く、長く、家族も一緒に稽古を続けてこられました。これからも切磋琢磨しさらなる高みを目指します。

群馬県・合気道山徳道場

田中　諒

群馬の若手代表として精一杯演武させていただきます。

埼玉県・A&P 石垣道場

中島雅久

石垣晴夫師範より教えていただいた『合わせ』『外し』をベースにし日々稽古に勤しんでおります。

埼玉県・大成合気道会

河野了達

よき師よき友との出会いに感謝し、これからも精進します。

千葉県・市原合気会

河口知晃

繋がりを感じられるように力まず相手と和合することを心がけて、今できる精一杯の演武をいたします。

千葉県・船橋合気会

田中智之

稽古を通じて、健康の保持・増進を。ヘルス・アンド・サステナビリティ。社会貢献に寄与したいと、日々、思っております。

東京都・合気道新川塾

須藤浩太

日頃よりご指導いただいている師範、切磋琢磨できる道友に感謝を込めて演武させていただきます。

東京都・合氣道れいめい会

川岸駿介

大会に携わるすべての方々にお礼申し上げます。先生、先輩、道友、そのほか支えてくださっている方々への感謝を込めて演武いたします。

神奈川県・合氣道本牧会

BECKOVIC EDIN

全日本合気道演武大会に参加させていただき、大変光栄であり、心より感謝いたします。

神奈川県・合気道相模和道会

近藤遼幸

合気道を始めて25年の年にこのような機会をいただき、大変光栄に存じます。迷い悩み楽しみながら、この道をゆっくり歩み続けたいと思います。

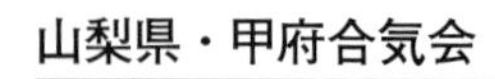

山梨県・甲府合気会

阿部　技

これまで育てていただいた師、道友、社会、両親への恩を忘れず稽古に励んでおります。

新潟県・新潟合気会新潟合気倶楽部

小宮山晃弘

一日一日の稽古を大切にし、自己成長に繋げていきたいと思います。

新潟県・新潟合気会西新潟道場

玉木駿佑

これまで関わった皆様に感謝し演武いたします。

石川県・合気道晴樹会

山本博史

平常心で臨みたいと思います。

福井県・愛結会

和中健史

合気道を始めた頃から見てきた大舞台。喜びと、お世話になった皆様への感謝の気持ちでいっぱいです。さらに探究心を高め、今後も稽古に励んで参ります。

岐阜県・至誠会

小笠原茂

継続は力なりを座右の銘として、日々の稽古に励んでおります。

岐阜県・合気道至心会

寺町健也

岐阜の地で、一人でも多くの方に合気道を身近に感じてもらえるように活動しています。

長野県・茅野合気道会

武居昌紀

重心の偏りが生じないよう意識しています。

静岡県・石芯塾　静岡合気会

瀧下直孝

常に課題を持って稽古するよう心がけています。

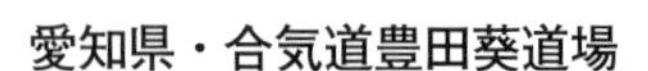

愛知県・合気道豊田葵道場

後藤秀邦

開祖が創始した素晴らしい合気道の魅力を次代に伝えられるように、遺された技と型の数々を研鑽し、稽古を少しでも進めたい。

三重県・津合気道会

井海俊武

固流体。

静岡県・石芯塾

杉浦尚哉

今日まで合気道を続けて来られたことに感謝して、基本を大切に精一杯演武させていただきます。

愛知県・合気道育成会豊田道場

松井優汰

普段どおりで演武に臨みます。

滋賀県・合気道平成会　坂本道場

奥野敏明

固い技から気の流れに至るまで、自分が納得できる技を表現したいと思います。

京都府・京都合気会

遠藤愛子

このたびは大変良い機会を与えていただきありがとうございます。より一層稽古に励み、良い演武ができるようがんばります。

京都府・京都近江合気会　井後道場

片山さやか

小学３年生から続けております。 時に太く、時に細くなりながらも途切れることなく歩んで来たこの「道」を絶やすことなく歩み続けたいと思います。

大阪府・大阪武育会

阪口諾士

このような機会をいただき、ありがとうございます。これからも精進してまいります。

大阪府・大阪合氣塾

前田沙希

丹田を意識して、先生や仲間と日頃稽古していることができるようにがんばります。

兵庫県・兵庫合気会　姫路道場

溝口裕恒

日頃お世話になっている皆様への感謝を込めて、一つひとつ丁寧に演武いたします。

兵庫県・神戸せいぶ館

山北真満

いつもどおり、緩やかな技を心がけます。

奈良県・奈良合気会

多賀　望

少しでも透明な心で演武ができますように。

和歌山県・竹豊館

田中義人

このような機会をいただき、誠にありがとうございます。

岡山県・合気道正武会

田中直樹

演武の機会をいただき感謝します。岡山県合気道連盟の指導者として、その名に恥じない演武を心がけます。

奈良県・奈良合気会

片岡峻也

ゆっくり、丁寧に、はっきりとした動きを心がけて演武します。

和歌山県・武産館道場

畑下佳子

師範・先輩方にご指導いただいていることに感謝の気持ちを込め、精一杯演武いたします。

岡山県・合気道正武会

松川佳弘

演武の機会をいただき感謝します。諸先輩方のご指導に恥じぬよう、一生懸命演武いたします。

広島県・作心館道場

夏目　祐

可能性のある技をお見せできるように尽力いたします。

香川県・さぬき合気道教室

祖川祐典

合気道との出会いに感謝し、精一杯演武します。

福岡県・合気道祥平塾

金堂尭人

合気道によりいただいたご縁に感謝し、真心を込めて演武させていただきます。

山口県・下松道場

奥田　豊

修行の成果をしっかり反映した演武を行ないたいと思います。

福岡県・合気道祥平塾

菅沼克彦

このような貴重な機会をいただき光栄に思います。感謝の気持ちで演武させていただきます。

大分県・大分合気道会

東　幹雄

大分県から初めての参加でとても緊張していますが、皆様に感謝を込めて精一杯演武させていただきます。

第2回

実りある稽古のために
―― 基本の体捌き

合気道本部道場長　**植芝充央**

基本の体捌きである転回・入身・転換・転身に着目して技法の要点を確認していきます。

受け：中村仁美・深浦徹也（本部道場指導部指導員）

転回（単独）

❶半身に構える。
❷〜❹両足の拇指球（ぼしきゅう）を軸に腰を切り、身体の向きを 180°変える。
❺半身の構えに戻る。

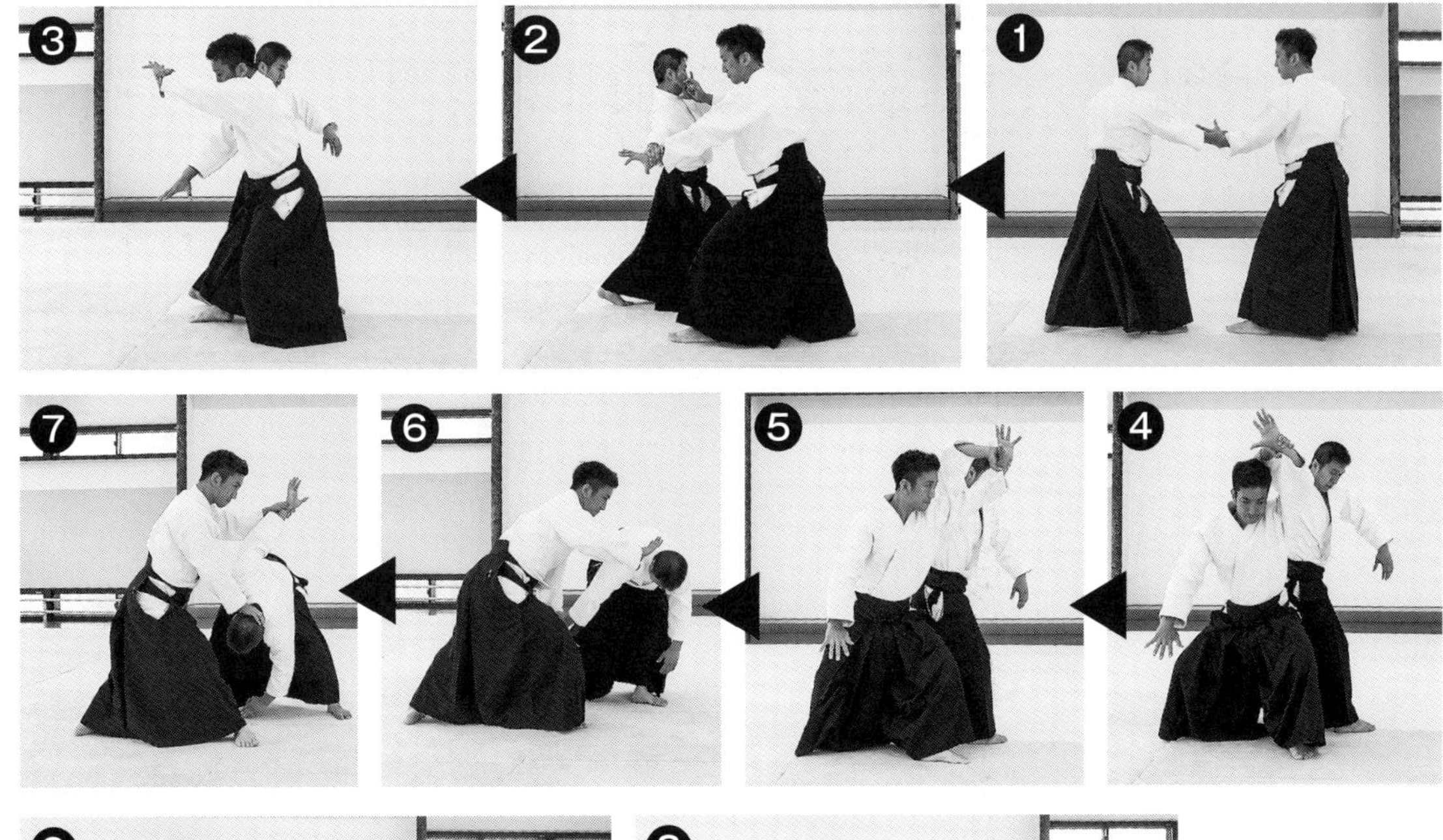

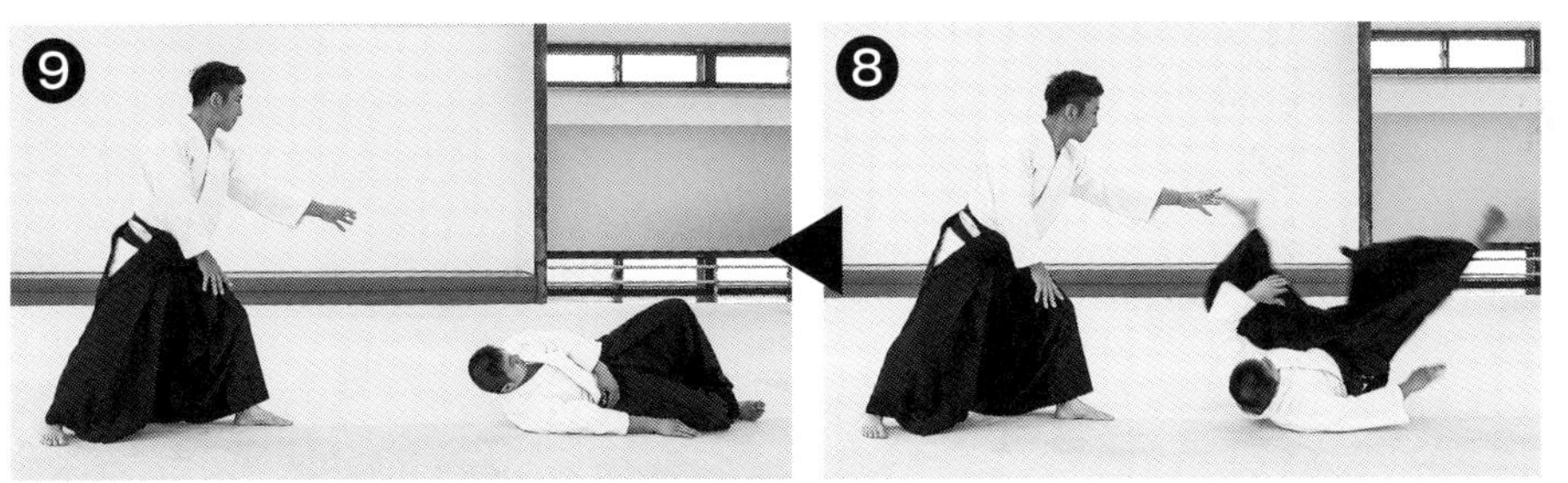

動画はこちらから

片手取り回転投げ(内回転)

❶受けは取りの片手を掴(つか)む。
❷取りは当身を入れながら**送り足**で進む。
❸取りは掴まれている手を斬り上げながら**歩み足**で進む。
❹〜❺取りは**転回**して身体の向きを変える。
❻取りは掴まれている手を斬り下ろしながら半身を切り替える。
❼取りは手を掴み返しながら受けの手首と後頭部を制する。
❽〜❾取りは**歩み足**で踏み込みながら投げる。

基本の体捌き

技の中では片手取り四方投げ裏を例に見ると「送り足+転換+転回+送り足」のように運足と体捌きを組み合わせて使っています。私は指導の中でも自身の稽古でもこのような技の中での一つひとつの運足・体捌きを大切にしております。

運足・体捌きを丁寧に行なうことで下半身が安定し、姿勢・中心の捉え方や上半身の可動域が高まり身体操作が明瞭になります。つまり、足腰を明確に使うことで、技の精度を向上させられるのです。

さらに、運足・体捌きに意識を置きながら稽古を続けることにより、膝を柔らかく腰を落とすことの大切さも気づけると思いますし、技と技の繋がりが見えてくるのではないでしょうか。だからこそ、常に運足・体捌きに意識を持ちながら稽古することが大切だと私は思いますし、その積み重ねが稽古の充実に繋がると考えています。

入身(送り足)

❶相対する。
❷～❹突きを手刀で制しながら、**送り足**で相手の側面へ**入身**をする。

突き小手返し

❶～❷受けの突きを手刀で制しながら、**送り足**で相手の側面へ**入身**をする。
❸～❹相手の小手を掴み、**転換**をする。
❺～❻前足を開きながら相手の小手を返し、もう一方の手を受けの小手に当て、**歩み足**で投げる。
❼～❽相手をうつ伏せにし、受けの肩関節を極めて制する。

動画はこちらから

入身（歩み足）

❶相対する。
❷〜❸正面打ちを手刀で制しながら、**歩み足**で大きく相手の側面へ**入身**をする。
❹〜❺相手の側面へ深く入り、半身の姿勢に戻す。

正面打ち入身投げ

❶〜❹受けが手刀を振り上げると同時に、**歩み足**で大きく相手の側面へ**入身**をする。
❺〜❼**転換**しながら受けを肩口に導く。
❽〜❾**歩み足**で大きく進むと同時に、振り上げた手刀を振り下ろし投げる。

動画はこちらから

転換(単独)

❶半身に構える。
❷前足を進める。
❸～❺前足の拇指球を軸に身体を転じ、姿勢を整える。

転換(片手取り)

❶相対する。
❷受けは取りの片手を取る。
❸取りは前足を受けの側面へ進める。
❹～❻前足の拇指球を軸に身体を転じ、姿勢を整える。

動画はこちらから

片手取り四方投げ(裏)

❶受けは取りの片手を取る。
❷～❺取りは**送り足**で受けの側面に**入身**し、**転換**をする。
❻取りは両手を斬り上げながら受けの手首関節を取る。
❼～❽**転回**しながら両手を斬り下ろし、受けの腕を制する。
❾～⓫**送り足**で進み、斬り下ろすように投げる。

動画はこちらから

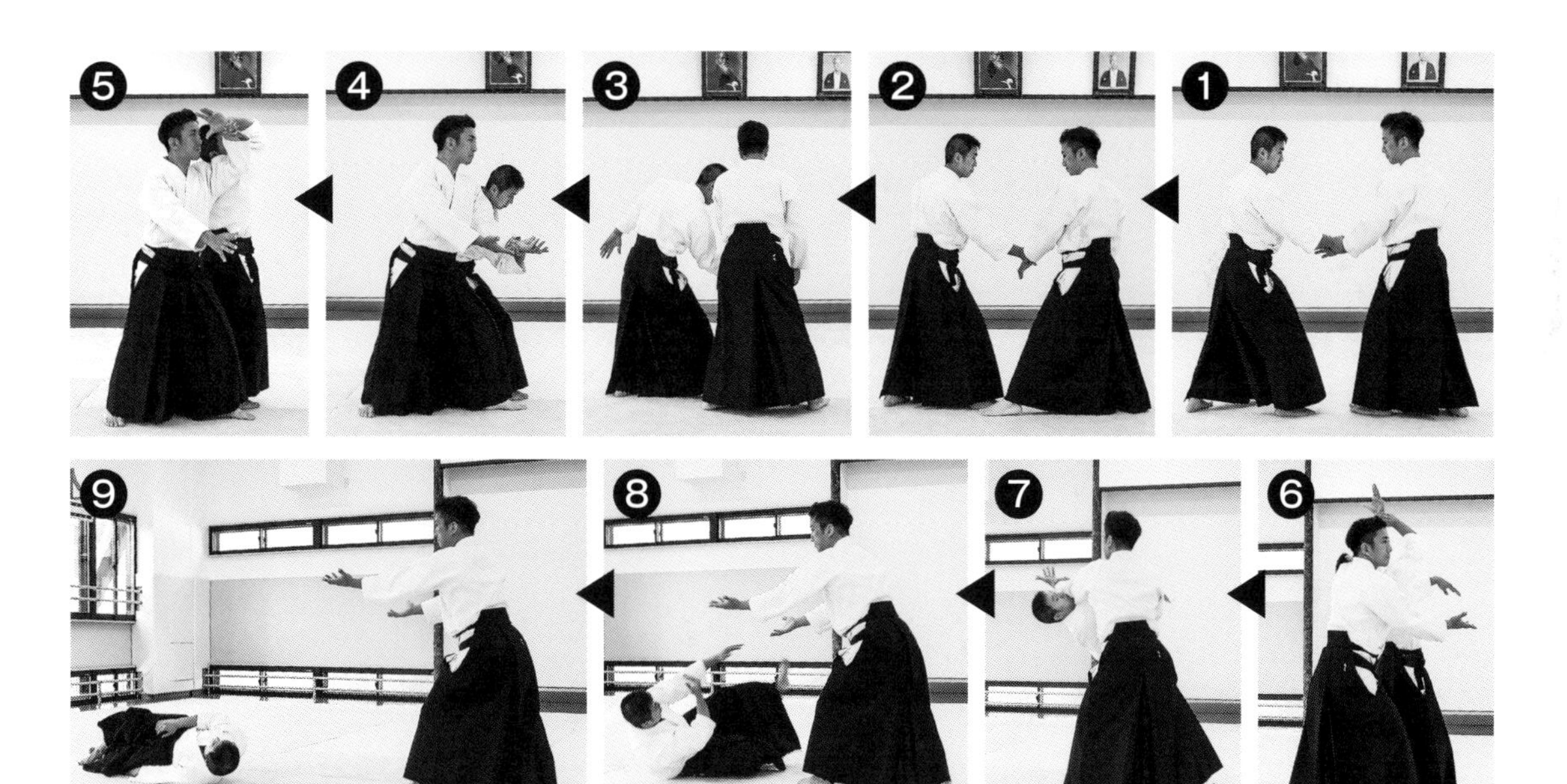

片手取り呼吸法(裏)

❶受けは取りの片手を取る。
❷～❹取りは受け側面に**入身**し、**転換**をする。
❺取りは掴まれている手を斬り上げる。
❻～❾腰を切りながら手を斬り下ろし投げる。

動画はこちらから

転身（単独）

❶半身に構える。
❷～❹後ろ足を進めながら、両手を斬り上げる。
❺～❼進めた足を軸に体を転じ、両手を斬り下ろしながら半身を切り替える。

横面打ち四方投げ（表）

❶受けは横面打ちを打つ。
❷～❸取りは後ろ足を進めると同時に、受けの横面打ちを制し、
もう一方の手で当身を入れる。
❹～❺進めた足を軸に**転身**しながら受けの手刀を斬り下ろし、両手で受けの手首を制する。
❻～❽**後ろ足**を大きく進めながら両手を振り上げ、体の向きを変え、受けの腕を制する。
❾～❿**送り足**で進み、斬り下ろすように投げる。

肩取り第二教（表）

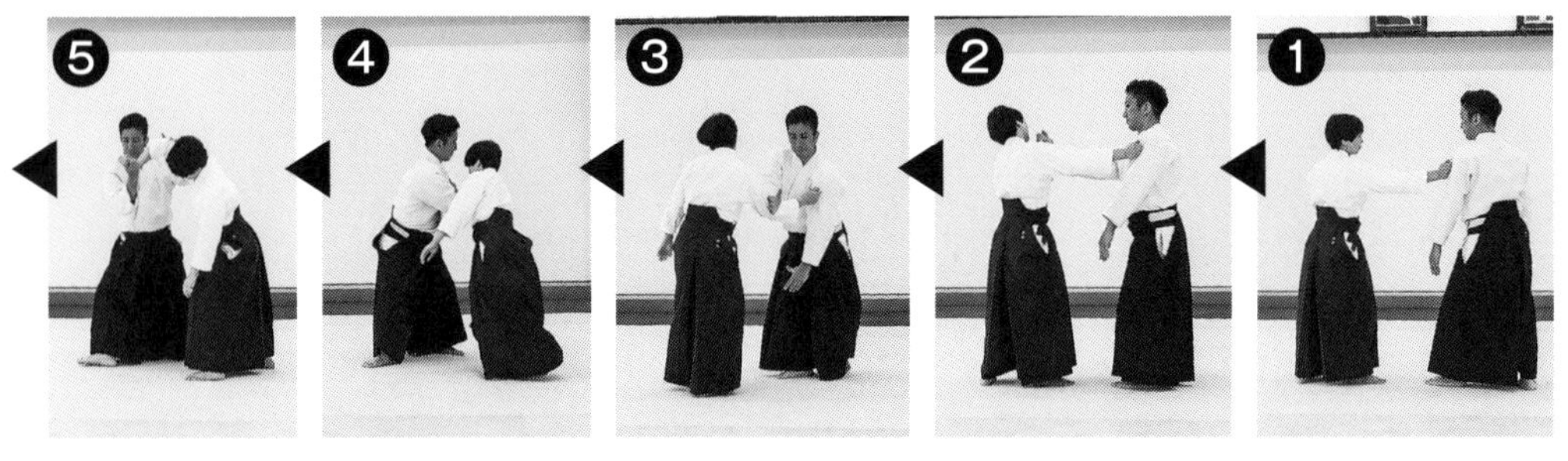

❶受けは取りの肩口を取る。
❷～❹取りは当身を入れ、**転身**しながら当身を入れた手で受けの腕を斬り下ろす。
❺～❻受けの小手と肘を制し、受けの腕を丸く返しながら切り下ろす。
❼～❿前進し、受けをうつ伏せにし、受けの肩関節を極め制する。

動画はこちらから

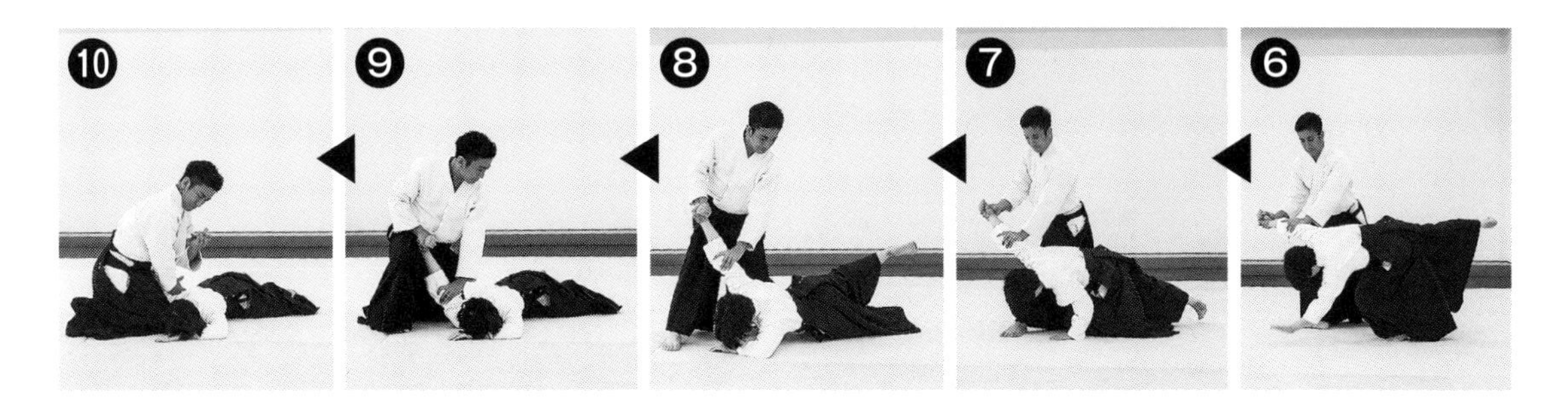

動画はこちらから

合気道人生 62

前広島県合気道連盟理事・東広島合気会会長　**村上章博**

合気道に魅せられ、生かされて

高校合気道の振興、合気道を通じての国際交流、団体の設立……。合気道に魅せられ、生かされ、情熱を注ぎこんできた村上章博師範の歳月をたどる。

プロフィール

村上章博（むらかみ・あきひろ）
昭和24（1949）年8月7日、広島県因島市（尾道市に併合）出身
昭和43（1968）年、新潟大学合気道部入部
昭和59（1984）年、広島県立西条農業高校合気道部創部
平成４（1992）年、東広島道場（現東広島合気会）創設
合気道七段位

合気道は私の人生の拠り所

「青春は短い　宝石の如くにしてそれを惜しめ」は、倉田百三（広島県庄原市出身）の名言ですが、後期高齢者（私にとっては合気道の〝好機行励者〟）の歳になって、やっとその含蓄を実感する次第です。これまでの人生を振り返れば、失敗も後悔する事も多くありましたが、詰まるところ「人間万事塞翁が馬」だと思い至ります。半世紀以上続けてきたのは、合気道と中学生から書いてきた日記だけです。まさに、合気道は私の人生の拠り所なのです。

合気道との出会い

大学に入学して、初めは軽い気持でワンダーフォーゲル部に入部しました。しかし、装備や遠征で経費もかかり、拘束時間も長いので退部しました。次に学内で目にしたのが、合気道部の稽古風景でした。たまたま『合気道入門』（富木謙治著）を所有していて興味もあり、稽古が週3日でアルバイトもできそうなので入部を決めました。

新潟大学合気道部の創設者は大村浩章師範で、早稲田大学入学後に植芝道場に内弟子として入門され、早稲田大学合気道部を創設されています。先生は昭和36（1961）年に新潟に転勤されたのを機に合気道の普及に尽力され、昭和44（1969）年に新潟大学合気道部を創設されました。

卒業後に就職したのが東京に本社がある食品企業で、赴任地は長野県更埴（こうしょく）市（現千曲（ちくま）市）にある長野工場でした。早速に更埴市合気道同好会を結

新潟大学合気道部入部時。前列中央が大村浩章師範で、２列目右端が筆者

成して、市の武道場で週2回の稽古を始めました。ところが、3年も経たないうちに、青年海外協力隊に参加することを決意して退職しました。中学生の頃から海外に憧れがあり、学生時代から協力隊に行きたい気持がありながらも就職してしまい、後悔の念が次第に募ってきたのです。行くなら今しかないと、上司や親の説得も振り切って退職を決め、希望した任地は東アフリカのタンザニアでした。3か月間の研修を終えていざ羽田空港から飛び立つ直前に、任国の政変で派遣中止となりました。研修所で2か月間待機ののちに、やっと決まった任国はケニアでした。

赴任して数か月は言葉の壁や習慣の違いもあり、騙されたり盗難にも遭い、協力隊に参加したことを大いに後悔したものです。しかし住めば都でケニアが大好きになり、半年間も任期を延長してしまいました。武道好きの若者を集めて稽古を行ない、隊員仲間と学校を訪問して、空手や剣道、そして合気道を演武披露したのも懐かしい思い出です。

ケニアでの青年海外協力隊の時、セカンダリースクールの全校生徒前で演武

高校合気道部の創設

2年半の任期を終了して、再就職を教職に決めました。天真爛漫なケニアの子供たちと、当時テレビ放映されていた連続ドラマ『二十四の瞳』に触発されたからです。学習塾講師を経て中学校、養護学校の教職に就いた約3年間を、広島県福山市に本部がある壬生川堯一師範の正武会で稽古させていただきました。

その後、昭和57(1982)年に東広島市にある県立西条農業高校に転勤となり、すぐ合気道場を探しました。市内で五常会誠道塾を主宰する丸林正宏先生の道場に入門を決めました。それから平成3(1991)年9月に東広島道場を創設するまでの約10年間、まさに一心不乱に壮絶なまでに稽古に励みました。朝稽古は5時起きで道場に行き、約4㎞をランニングしたあとに道場や野外で1時間の稽古。午後の稽古は6時から8時で、月曜日から土曜日までの週6日間でした。師匠に言われたことはすべて実践し、何より辛かったのは数度の断食です。中でも3週間の断食(前断食、本断食、後断食を各1週間)は、通常の勤務も稽古も行ないながらの断食なので地獄の苦しみです。家族や生徒に、本当に迷惑をかけました。

さて、西条農業高校に異動して2年目の昭和58(1983)年に合気道同好会を設立し、翌年に部に昇格させました。何より苦労したのは道場の確保で、柔道部と折衝のうえ、やっと水曜と土曜の週2日のみ柔道場が使用できました。ほかの日は屋外で木刀や杖を稽古しました。そのうちに顧問が転勤して柔道部は廃部となり、日曜日以外の週6日、柔道場で思う存分稽古できるようになりました。部活のあとは週3、4回夜の稽古に通い、まさに合気道漬けの日々でした。

ただ、合気道部は他の運動部のように試合も大会もなく、昇級段審査と年1回の校内演武会だけでは部員のモチベーションが上がりません。夏合宿や夜間歩行、文化祭での

広島県立西条農業高校合気道部の集合写真。前列中央・筆者

第45回全日本合気道演武大会にて、植芝守央道主との記念写真

公開演武会など、できるだけ行事を企画しました。そして、全日本合気道演武大会に高校合気道部の枠があるのを知り、平成7（1995）年開催の第33回大会から連続13回演武の機会をいただきました。この西条農業高校合気道部もすでに創部40年となり、歳月の流れを感じます。

全国高等学校合気道連盟と全国高等学校合気道演武大会

いかに行事を増やしても、肝心の高校生同士での交流の場がありません。そこで、全国高等学校合気道連盟の設立を思い立ちました。50余年の合気道人生で最も強く印象に残るのは、平成14（2002）年8月10日に東京武道館で開催された「全国高等学校合気道連盟設立記念　第1回全国高等学校合気道演武大会」です。参加校24校、合気道部員283名の参加でした。

前年の2月3日に本部道場を訪ね、長野時代からご縁をいただいていた当時の総務部長藤田昌武先生に伴われて植芝守央道主にお目にかかり、高校連盟の創設をご相談申し上げました。道主からは全面的な協力と支援の快諾をいただき、力強い第一歩を踏み出しました。合気道本部道場からの担当者として、栗林孝典先生、難波弘之先生、そして鈴木俊雄先生を任命してくださいました。その後、全国のわかり得る高校合気道部顧問と連絡を取り合い、平成13（2001）年10月13日に初めての全国高等学校合気道連盟設立準備会議が本部道場で道主ご臨席のもとに開催されました。さらに12月、翌年2月、4月と計4回の準備会議を経て、第一回総会が開催されたのは、5月25日の第40回全日本合気道演武大会当日でした。

高校連盟事業として提案した一つに、各地区における合同講習会があります。地方においては、合気道本部道場の先生方から直接指導いただける機会は滅多にありません。中国・四国地区で合気道部がある高校は数校でしたが、平成18（2006）年の難波弘之先生の招請以降、平成27（2015）年の小山雄二先生まで毎年中国・四国地区合同講習会を開催できました。この間、本部道場の先生方に幾度にわたり、ご来広いただき、合気道部員にとって最高の刺激であり良き思い出となりました。

東広島合気会の設立

「東広島合気会30周年記念演武会」を、新型コロナの影響で、1年延期して令和5（2023）年11月5日に開催しました。設立は平成4年（1992）9月1日です。当東広島合気会は、広島アジア大会開催に合わせて新設された東広島運動公園体育館武道場で、広島県合気道連盟東広島道場として活動を始め今日に至っています。

当時は合気会傘下の認可道場は東広島市内になく、広島市内まで稽古に通っていた杉原伸昭さん（現当会副会長、師範）とともに道場を開設しました。爾来31年の年月が経ちました。会員の中には高校、大学の合気道部経験者も多く、とりわけ愛媛大学合気道部の元主将が4名、西条農高合気道部OBが7名いて心強いかぎりです。稽古では、高段者3名が交代で指導に当たっています。特定の指導者により道場生の技が固定されることなく、各自の個性・特性に応じて合気道を稽古してほしいからです。

また、当会のモットーは、「無理せず愉快に稽古して、健やかな心身を醸成する」ことです。そして時間もうるさく言いません。たとえ短時間でも道衣に袖を通し、稽古する習慣が重要だからです。何より切望するのは、一日でも長く合気道を続けてほしいことです。稽古すれば一日のストレスを解消し、心身の滓（おり）を取り除き、爽やかになります。

合気道と国際交流

去る2月下旬には4年ぶりにベトナム中部を訪れ、ダナンとフエの道場で稽古してきました。初めての海外での稽古は、平成3（1991）年10月に西尾昭二師範の指導助手として北欧のフィンランドとスウェーデンを訪れた時です。その後も平成6（1994）年3月に西尾先生のお供でデンマークやスウェーデンを訪問しました。

実は定年退職とともに満を持して、JICAの合気道シニアボランティア参加を目論んでいました。しかし、創部から関わってきた高校の合気道部は当時50名近い部員がいて、後任の指導者不在では投げ出すわけにいきません。結局、65歳まで再任用で勤めました。退職後は農閑期の冬期だけ、5年計画でタイ北部の都市チェンマイに行くことにしました。3～4か月間滞在して、北タイ合気道協会会長のソムバット先生に大変お世話になりました。毎朝、ソムバット先生の錬心館道場で主に武器技を稽古して、夜はその錬心館道場をはじめ、愛道場、オール道場、国立チェンマイ大学合気道部の4道場を指導して廻りました。

また、ご縁をいただいて遠く南米チリ共和国に2度赴き、それぞれ1か月間滞在しました。1回目（平成29〈2017〉年）は首都サンチャゴ市内の6道場を朝・夕日替わりで廻りました。2回目（令和元〈2019〉年）は修行道場主のフェルナンド先生のご両親宅にホームステイさせていただき、サンチャゴ市内のほかに、リマチェの初心道場や、世界最南端の合気道場と言われるプンタアレナスのサムイ道場を訪れて講習会を開催しました。世界中どこの道場を訪ねても、稽古後の歓談や食事会は楽しく、国境を越えて合気道仲間の輪が広がります。

合気道を始めて50余年ですが、早朝1時間のウォーキングに始まり、日中は約14アールの畑で農作業に勤しみます。合気道の稽古は週6日行ない、実に充実の毎日です。この稿を草するにあたり、これまでの日記や新聞記事、思い出の写真を改めて見る機会を得ました。入門以来、今日まで指導をいただいた諸先生方、東広島合気会の仲間、そして情熱を注ぎ込んだ高校合気道部の部員たちに深く感謝いたします。合気道に魅せられ、生かされてきたことに感謝し、これからも日々精進して参る所存です。「怠らず行かば千里の外も見ん　牛の歩のよし遅くとも」

西尾昭二師範の北欧講習会。デンマークにて

タイのチェンマイにある錬心館（Renshinkan）道場にて

チリのサンチャゴにある修行（Shyugyo）道場

師範の横顔

Vol.59

追分拓哉（おいわけ・たくや）
昭和21（1946）年、7月31日、福島県生まれ。
昭和41（1966）年、明治大学合気道部（当時・同好会）に入部。
昭和50（1975）年、合気道福島武道館創設。
福島県合気道連盟名誉会長。

福島県合気道連盟名誉会長
合気道福島武道館館長

追分拓哉

七段位

社会で通用する人材であってほしい人生を豊かにしてほしい

80人の部員が5人に

——合気道との出会いをお聞かせください。

追分拓哉　私は小中高とバスケットボール部で活躍して、福島市ではそこそこに有名な選手でした。高校の先輩が明治大学のバスケ部で活躍しており、その姿にあこがれ、私も猛勉強して明治大学に合格しました。喜び勇んで入部願いに伺いましたが、にべなく却下されました。当時の明大バスケ部はオリンピック選手を出すような強豪校で、身長165センチの私では通用しないとのことでした。何のために明治に来たのかと呆然自失となっていたところ、合気道部の方から勧誘されました。偶然の出会いが結果的に60年近くの合気道との関わりになりました。

その時、80名近くが入部しましたが、80畳の道場ではまかないきれず、1年生は毎日、外で駆け足や木刀振りなどで身体を鍛えていました。同好会から体育会昇格を目指していた頃で、稽古は激しく厳しいものでした。今となると、あの頃の猛稽古が懐かしく思い出されます。あっという間に部員が5名に減り、慌てて再募集して11名になりました。

指導者は、明大合気道部の創設者であり、当時本部道場で指導されていた小林保雄先生です。先生はまだ20代で私どもよりも体力があり、切れのある強い技でしたので、私はだいぶ頭を打ちました。

2年先輩には五十嵐和男先生。同期にはブラジルで指導している鹿内一民先生、宮城県の白川勝敏先生、東京の荒井清先生もいました。同期で4名も七段位（鹿内先生は今年八段位）がいるのは希有だと思います。当時それだけの猛稽古をこなしていたからだと思います。

在学中、全学連との闘争によりロックアウトが2回もありました。学校に行くことができない期間は、本部道場や小林先生に連れていっていただいた道場など、稽古時間が増え、合気道にのめり込んでいきました。

——本部道場での稽古の思い出をお聞かせください。

追分　1年生の秋に初めて稽古に伺いました。開祖植芝盛平先生が元気で指導されており、眼の力、近寄りがたいオーラに圧倒されました。開祖が道場に入ってこられるとピタっと皆が稽古を止める。達人とはこのような人なんだなと感じたものです。

開祖が闘病生活の頃、新本部道場の3階まで門弟2人に抱えられ

明治大学合気道部時代、岩間の合気神社を訪問した折に開祖とともに。前列右から４人目・小林保雄師範。後列左から４人目・筆者。昭和40（1965）年

てやっと上がってきたのに、道場に立ちますと姿勢が正され、迫真の演武をしていただいたのには心底驚き、今でも脳裏に刻まれています。

本部道場の稽古は大変きついものでした。「参った」と言ってもさらに関節を極めるような人もおり、それだけ身になる稽古だったと思います。今でも新宿駅から本部道場まで高下駄で歩き、稽古したことが懐かしく思い出されます。

生涯の師・小林保雄先生

——指導を受けた先生の思い出をお聞かせください。

追分　小林保雄先生には現在もご指導いただいております。生涯の師であり、私の人生の目標です。

大学卒業後、私は福島の実家に帰って家業を手伝っていたのですが、合気道の稽古をする場所がなく、気持ちをもてあましていました。その時に、「自分で道場を創りなさい」と背中を押してくださったのが小林先生です。「福島武道館」という名称も先生に付けていただき、看板の文字も書いていただきました。

家業の店の2階を改装して道場を作りました。畳は小林先生から格安で譲りうけました。当初18畳だった道場は、3年後には50畳の道場を借りることになりました。若干28歳の若輩が東北初めての合気道専門道場を開設してはや49年目、来年は50周年を迎えます。

先生の素晴らしさは生き方にぶれがなく、合気道一直線なことです。また、人間としての懐が深く大きい方だと思います。「この素晴らしい合気道を一人でも多くの人に教え広めたい」という信念のとおりに合気道人生を歩んでこられたと思います。齢（よわい）87になった今でも現役で指導されている姿は、さすが我が師匠です。

稽古は一貫して基本技。決して派手な技や奇抜な技などはせず座り技から入ります。先生の淡々とした演武を拝見すると心から凄いなといつも感じています。腰の据わった重心の低さなど先生から吸

収するべく日々、反復しています。

武道家としての生き様
白田林二郎先生

追分　白田林二郎先生にご指導いただいたことも私にとって大きな財産です。

　全東北合気道連盟を作り上げた白田先生は九段でした。私が会長を務めていた福島県合気道連盟はまだ全東北連盟に加盟しておらず、白田先生から加入のお声がけがありました。そのことで名実ともに全東北になりました。

　とても優しい先生でしたが、技は厳しいものでした。二教、三教の極め方もきついし、入身投げや四方投げも叩きつけられるようでした。間合いや目付も別格です。皇武館の伝統でしょうか、武道家としての凄みを間近で学ばせていただきました。

明治大学合気道部春合宿。前列中央・小林保雄師範、前列右から２人目・筆者。昭和43（1968）年

　白田先生には本物の死に様を、身をもって示していただき大きな感銘を受けました。今から30数年前、病気で余命幾ばくもないと宣告されていた先生のお見舞いにお伺いした時のことです。先生は平常心、笑顔で出迎えてくださり、病室のベッドに正座になり、「追分先生、あとの全東北合気道連盟と合気道をお願い申し上げます」と深々と礼をされました。「もう追分先生とは会えない、今生の別れになります」とお話しになりました。私も最後はこのように淡々としていたいと思っております。

油断なく真剣に
人生を豊かにするために

――指導において大切にされていることはどのようなことですか。

追分　油断なく真剣に稽古することです。合気道は人生であり、中途半端な稽古をしているとやはり適当な人生になってしまいます。間合いひとつ取っても人と人とのほどよい間合い、話し方の間合い、取引先との間合い、夫婦の間合いなどたくさんあります。道場でのみ尊敬され、強いだけではいけません。実社会の中でも尊敬される人物になること。世のため人のために役立たなければなりません。良き社会人、家庭人になれと常々指導しています。

　東日本大震災の時には、県内のほとんどの場所で稽古ができなくなりました。そんな中でも、福島県合気道連盟の会員はあきらめることなく、互いに思いやり、頻繁に連絡を取り合い、励まし合い、結束力を発揮しました。大変ありがたいことに、全国の方々から多くの義援金・義援品をいただきましたが、誰一人勝手なことをせず、協力して各団体に分配しました。

　苦難を乗り越え、さらに絆が強くなりました。コロナの影響で会員が減ったこともありましたが、各道場・団体の責任者が頑張って積極的に活動を継続しており、今後、連盟はますます成長するでしょう。組織的にも、そして個々の活動もよくなっています。30年以上連盟の会長を務め、社会で通用する人材であってほしい、人生を豊かにしてほしいと指導してきたことが実を結んでいます。これは私の誇りです。

　私自身も経営する会社の倒産の危機があったり、脳出血で倒れたこともありました。そんな中でも、自分に負けず、つらい時も笑顔を忘れず元気を出そうと心がけてきました。合気道で培ってきたもののおかげです。今も元気に仕事や生活を楽しみ、精一杯人生を謳歌しております。

ほめること、そして本人の意志

――子供の指導にも力を入れておられるとうかがっています。

追分　道場設立にあたり、小林先生から子供たちの育成が道場運営のポイントになるとうかがい、最初から子供クラスを作りました。私は友人が多かったものですから、彼らが「追分の道場がつぶれたらかわいそうだから」と自分や親戚の子供たちに合気道を勧めてくれて、あっという間に2、30人の子供が集まりました。

49年前に子供クラスに入門した清野和浩氏が、いまや七段で福島県合気道連盟の会長を立派に務めています。そのほかにも道場で育った子供たちがそれぞれの立場で活躍し、ひとかどの人物として評価されており感慨深いです。

子供たちには毎回稽古時に

1・時を守り
2・礼を尽くし
3・場を清める

を徹底的に指導しています。

子供たちが郷土の福島県、そして日本の役に立つように、そして立派な大人になり、楽しい幸せな人生を歩んでほしいと思い、厳しく、楽しく稽古をつけております。

大切なのはほめて伸ばすことです。貶さず人と比較せず、その子の良いところを見つけてほめる。

もう一つは子供自身の意志です。入門する時は面接をしており、自分の意志で稽古をしたいと思うようになってから入門してもらっています。それまでは遊びにくるだけでもいいよと言っています。自分でやると決めた子は辞めません。上手ではない子でも、辞めずに続けて、良いところをほめていると、その子なりに伸びていき自信もつきます。不登校や、落ち着きのない子も来ていますが皆、元気に仲良く稽古をしています。

元旦稽古で子供クラスの会員と駆け足で市内の神社を参拝

最高の状態を求めて、密度の濃い稽古を

――ご自身の稽古で大切にしているのは、どのようなことでしょうか。

追分　常に最高の状態で道場に入らなければならないと考えています。

会社経営をしながら合気道を続けてきました。最大の時は6社の社長を兼務していたので、自分自身の稽古の時間を取ることはなかなか難しいものがありました。唯一削ることができるのが睡眠であり、毎朝6時半から7時半の1時間が私の稽古時間でした。門弟の代表に付き合ってもらい継続してきました。例えば、小林先生の技の映像や、自分の稽古をビデオで見て、自分が間違ったことをしていないか確認して反復稽古をするなど、考えに考えて、時間が少なくても密度の濃い内容にしています。

――今後の抱負をお聞かせください。

追分　強さを求めて遮二無二に修業してきた私ですが、70歳を過ぎてから、柔らかい、柳の枝のような飄々とした動きに合気道の魅力を再確認しております。小林先生が87歳を過ぎてもまだご健在で、現役で指導されていることを目標といたしまして、これからも合気道の修行を続ける所存です。

「合気道で人生を豊かにし、社会に貢献できる人物になってほしい」と語る追分師範

師範の横顔 Vol.60

千葉県合気道連盟顧問
八千代合気道友会師範

吉川 滋 七段位

技を上達させながら心も鍛える人づくり

吉川滋（きちかわ・しげる）
昭和22（1947）年7月9日、千葉県生まれ。昭和41（1966）年、法政大学合気道部入部。昭和48（1973）年、習志野市にて合気道クラブを設立。昭和59（1984）年、千葉県合気道連盟設立に参画。平成元（1989）年、八千代市合気道友会設立。平成15（2003）年、法政大学合気道部師範。平成19（2007）年～平成30（2018）年、神田外語大学非常勤講師（合気道）。平成24（2012）年～令和4（2022）年、千葉県合気道連盟理事長。
全日本合気道連盟代議員、千葉県合気道連盟顧問。

渦巻のイメージ

――先生の合気道との出会いをお聞かせください。

昭和41（1966）年、法政大学入学直後のことです。千葉生まれの私は、都会の風景を眺めようと校舎屋上に出ました。応援団、空手、少林寺拳法などの部が活動していましたが、その中で道着に袴姿の一団が目に止まりました。彼らのあとを追うと、キャンパスで新入生勧誘の演武が始まり、この時初めて合気道を目にしました。「どうしてあんなにたやすく人を制することができるのか、あれは本当なのか」。相撲と柔道のわずかな経験からは納得できませんでしたが、不思議な魅力に取り込まれ合気道会（現合気道部）に入部しました。

――当時の稽古の思い出をお聞かせください。

吉川　当時は部室も屋内道場もなく、晴天の日に、屋上に畳を敷き詰め稽古をしていました。40畳ほどの広さで、部員は4月の時点で60名はいたと思います。

畳での稽古人数は限られるので、他の部員は畳外での受身や身体強化を含む稽古。雨天時は外階段を1階から屋上までランニングをすることが多かったと思います。

見るのとやるのは大違いでした。技を掛けようとすれば逆に抑え込まれ、投げにいくと返される。どうして技が掛からないのだろうか。思い巡らすうちに渦巻をイメージするようになりました。入身投げであれば平面的に回るのではなく、沈み込むような軌道で膝を曲げながら回って崩していく。呼吸法であれば手を取られたら転換しながら釣り上げていく。これら合気道の凄さに気がついてからは、合気道が楽しくなり好きになりました。

3年生時からはレスリング道場も使用できるようになりました。また、火曜日と土曜日には本部道場で有川定輝先生からご指導いただきました。初段審査合格直後、しっかり掴んでの諸手取り呼吸法で菅沼守人先生に稽古をつけていただいたことも懐かしく思い出されます。

有川定輝師範の思い出「お前に下手な技は教えてないぞ」

――本部道場での稽古の思い出をお聞かせください。

吉川　開祖がお見えになると、祝詞を奏上されたあと、古事記のことなどをお話しされましたがほとんど理解できませんでした。

　稽古で開祖に打ちかかったお弟子さんが、開祖の手が弧を描くと頭より足が上になった状態で浮き上がり、畳に落下した光景が今も心に焼き付いています。「相手の気の方向を変えてあげただけじゃよ」とおっしゃっていました。

　ある日の帰り際、「どこの学生さんじゃ？　法政か。あそこも長いからのう」「合気道は力に頼ることなく優しくせよ」「手に持っているのは真剣かな？　木刀であっても魂が入っている。必ず袋に入れて持ち運びなさい」とお声をかけてくださいました。非常にありがたく光栄な体験でした。

──有川師範の思い出をお聞かせください。

吉川　「君たちは線が細い。稽古によってはある程度太くできるので真剣に稽古しなさい。真剣に、ということもなかなか厳しいことだから、真面目に稽古しなさい」と初めての稽古のあとに言われました。

法政大学校舎屋上での稽古風景。昭和44（1969）年

　そのほか、「道場に入ったならば稽古以外のことは考えない」「合気道は練習するのではない、稽古するものだ」「一技一万回稽古すればどうにか形になる」「若者は動きを大きく。前進力・全身力を活かす」「まず呼吸力と体術。そのうえで剣や杖」「自己使命（人生）達成のために活かしてこそ合気道の意義がある」。また、組織運営や物事の考え方として「タテ（歴史的な関係）とヨコ（社会的関係）を大切に」などを教えてくださいました。

　一見怖そうですが尋ねるとどこまでも応えてくださる、思いやり深い優しい先生でした。呼吸法について、片手を掴まれた時に親指が自分の額につくように振り上げる動きを見せて、「これが大事だぞ」と、会うたびに示してくださいました。

　大学卒業後も、都合の付く時は本部道場や法大合気道部へ出向き、有川先生の指導を受けました。「仕事の都合もあり、遠方だからなかなか来られないだろうが、今は本もあり、映像もあるから一人でもできる。細くても長く稽古をすることが大事だ」「手順で不安になった時はどのようにしたら自然な動きになるのかで判断したら良い」「俺はお前に下手な技は教えてないぞ」と諭されました。

第12回千葉県合気道演武大会での演武。平成29（2017）年

　卒業して10年後、基本である第一教がうまくできないと感じ、教えを請うたことがあります。「一教は難しいんだ。よく気が付いたな」と言って、相手とぶつからないように斜めに出て、相手の肘を上げ、手首を落とすように流し崩すことを教わりました。

　最後にご指導いただいた技は熱のこもった横面打ち四方投げでした。有川先生が法政大学合気道部師範を引退される平成15（2003）年9月の合宿のあとのことです。「技を掛けてみろ」と先生が私に横面を打ちこんでこられました。斬り下ろそうとしましたが「ダメだ。もう1回」と。3回目の時に、「ダメだ！」と言って頬を張られま

した。

「打ち込んでこい」と言われて、横面を打ち込むと、床に膝をつくほどの勢いで崩されました。剣を振る時は刃筋を通すと言いますが、先生の斬り下ろしはまさにそれでした。先生はその年の10月に亡くなりました。病気でやせ細ったお体で、それだけのことを私に示してくださったのです。

無性に稽古がしたくなり 団体を立ち上げる

——指導を志したいきさつをお聞かせください。

吉川　昭和44（1969）年5月、就活中の私たち4年生に合気道会の会長が、就職課長による就活支援の説明会を開いてくださいました。その際、付属女子高校の護身術部の指導者が不在となったので指導依頼があり、私が出向くことになりました。以後、現役部員による派遣指導が今日まで受け継がれ、卒業後も大学の合気道部で活躍している者がおり嬉しいことです。

大学卒業後、勤め先の習志野市役所で合気道部を立ち上げました。昭和48（1973）年10月です。千葉県で若潮国体が開催され、習志野市がボクシングの会場となりました。会場設営に従事しながら競技観戦するうちに無性に稽古がしたくなりましたが、時間的に通える道場が見当たりません。そこで職員労組に出向き、「合気道部を作ります」と宣言し、その日の職労新聞で部員を募集すると10数人がすぐ集まりました。

その後、市民参加の習志野合気道クラブを立ち上げ、市立体育館や消防署の道場で週3回合同稽古を始めました。昭和50（1975）年には習志野高校が移転したので、同校の旧柔道場で昼休みも許す限り稽古しました。

その後、昭和58（1983）年10月、八千代市合気道同好会（現八千代合気会）の乾泰夫先生による「青少年の明日を拓く合気道」の方向性に賛同し協力することになりました。

そして平成元（1989）年6月、柔道場を備えた八千代台近隣公園小体育館竣工を期に、同館を拠点として合気道のさらなる普及を目指して八千代合気道友会を立ち上げました。

有川先生にお許しをいただくために本部道場を訪れた際、「八千代合気会と八千代合気道友会は各々独立した団体であり、親子の関係ではなく兄弟のように地元で協力をすること。会員獲得は紳士的に。怪我をさせない工夫をし、長く稽古をするように」とご指摘ご助言をいただきました。

平成15（2003）年、有川先生が法政大学合気道部師範を引退されることになり、私は法政大学合気道部、富士見合気道友会（合気道部OB会）・法政女子高（現国際高校）の後継師範に指名されました。

平成19（2007）年には神田外語大学で合気道が正課として採用されました。日本の伝統文化である武道を理解し身に付けることが国際人には必要という考えによるものです。同大学の富松（とみまつ）京一教授の熱い思いに賛同された本部道場大澤勇人師範、千葉県合気道連盟清野裕三会長、浦田敏晴理事長の勧めにより、私が指導をお引受

法政大学合気道部合宿。前列左２人目から高溝真理子師範、島田裕正師範代、筆者、関根章弘師範。前列右から１人目・新井真人師範補佐

けすることになりました。

合気道は武道である

——指導において大切にされているのはどのようなことでしょうか。

吉川　稽古人同士の衝突防止のため十分なスペースを確保してから稽古を始めるよう心がけ、広さに応じた人数制限や掛り稽古など、状況に応じた稽古形態を工夫し、環境整備に力を入れています。

怪我をしない身体作りと怪我をさせない技を念頭に「楽しかった」「好きになった」と感じてもらい、長く稽古を続けられるように努めています。

そのためにも人数、場所の広さを見て、自分の姿がみんなから見える位置に立ち、全員に聞こえる声量を出す。さらには対象の年齢層、習熟度・理解度などを把握して的確なアドバイスをすることが大切だと考えています。

指導にあたる吉川師範。年齢層、習熟度・理解度などを把握して的確なアドバイスを心がける

合気道を習う人の目的は様々です。できた時、上達した時の喜びを大事にして、それぞれの立場で合気道の心を活かして活躍してもらいたいと願っております。

有川先生から「合気道は武道である」とご指導いただきました。武道の要素は、礼・目付・間合い・呼吸・崩し・残心。そして中心の意識と良好な姿勢です。

これらのご指導をもとに、武道的合理性を実感できる基本を重視した身体の使い方と呼吸力の上達に努めています。

技を盗むのはなかなか難しいことですから、ある程度は言葉で科学的・物理学的に説明します。人間の身体は大きく分けて3つの三角形で形成されています。頭を頂点にして両肩を結んだ三角形。両肩から腰までの逆三角形。そして腰から両足を結ぶ三角形。それらを結ぶ正中線。このバランスで人間は二足で立っています。技を掛ける人はこのバランスを意識する。そして相手のバランスを崩すのが技を掛けるということ。そういうことを話したりします。

その先は、頭で考えるより、体を動かして勘を身に付けてほしいと思います。

——ご自身の稽古で大切にされているのはどのようなことですか。

吉川　武術から「争わない」武道へと昇華された合気道は、ひたすら稽古することによって身体を鍛え、技を上達させながら心も鍛えられる、言わば人づくり、人磨きであると思います。このことを忘れずに、これからも仲間と無理なく楽しくできるだけ長く稽古を続けていこうと思います。

——これからの抱負をお聞かせください。

吉川　合気道をさらに多くの人に知ってもらい、稽古していただきたいと思います。平成24（2012）年から中学校での武道必修化が始まっています。若者への普及は個々の道場・団体はもちろんですが、教育委員会のご理解とご協力は欠かせません。令和6（2024）年度に女性や中学生・高校生対象に千葉県スポーツ協会主催の講習会が開催されることになりました。新たに合気道を始める方が増えてくれることを願っております。

「これからも仲間と無理なく楽しく、できるだけ長く稽古を続けたい」と語る吉川師範（前列・右から3人目）。八千代合気道友会の会員とともに

連載企画

次世代の指導者に訊く

第7回

合気道本部道場奉職2年半後、故郷・岐阜へ帰る際、植芝守央道主や堀井悦二師範から「自分で道場をやりなさい」と言われ、帰郷後まもなく、道場を開設した田中師範に、指導方針、今後の抱負を訊いた。

合気道田中道場代表
田中英生
（たなか・ひでお）

昭和46（1971）年6月3日、岐阜県生まれ。平成3（1991）年、國學院大學合気道部入部、合気道本部道場入会。平成11（1999）年、合気道本部道場奉職。平成13（2001）年、合気道田中道場設立。岐阜県合気道連盟理事。合気道六段位

百科事典で合気道に出会う

——合気道との出会いをお聞かせください。

田中　合気道を知ったのは小学生になった頃です。親戚のお兄さんから譲ってもらった百科事典で、吉祥丸二代道主の演武の写真とともに、関節技を駆使した護身術と説明されていて興味を持ちました。

　しかし、私の近所には合気道の道場がなく、小中学校では剣道をやっていました。

　その後、國學院大學に入学し、合気道部の見学に行き、主将の方が指導されているのを見ました。動きが綺麗で、やってみたいと思い入部しました。合気道部は挨拶や掃除にまで非常に厳しく、学内で先輩に気付かず挨拶しなかったことがあると、その日の稽古ではひたすら受身だったり、投げられっぱなしということもありました。体育会らしいと言いますか、合気というより気合という感じです。

　当時は本部道場から堀井悦二師範（現・相生會会長）が毎週水曜日に指導にいらしていました。師範が来られる時は、しっかりと技の指導をしてくださるので、いつも楽しみにしていました。

　堀井師範は体が大きく、腕も太くて、何をしても適わないという印象です。気さくな一面もお持ちですが、当時は話かけられないような怖さを感じていました。

本部道場奉職

——指導の道に入られたいきさつをお聞かせください。

田中　大学を卒業して故郷の岐阜の企業に就職し、母校の大学の合気道部のコーチとして指導するようになりました。

　また、月に1回、金曜日の夜行列車で上京して本部道場の稽古に通いました。朝一番、二番、三番の稽古のあと、午後は國學院大學の合気道部の稽古に出ていました。

　それから2年ほどして別の会社に就職しました。住まいが東京に代わり、仕事も結婚式場の仕事でしたので、式のない平日は仕事の始まりが遅いこともあり、本部道場の一番、二番の稽古に出てから出勤するという日々を送っていました。

　実は前の会社を辞めた時、現道主（当時・本部道場長）に本部道場に奉職したいと相談したことがありました。それから2年ほどして、道主から「まだ専門でやる気があるのであれば」と声をかけていただき、道主、増田誠寿郎師範との面接を経て平成11（1999）年の2月に奉職しました。吉祥丸二代道主が亡くなられた年で、ご葬儀の時はまだ職員ではありませんでしたが、案内係を仰せつかりました。

　本部道場では少年部の指導、ま

た先輩方の代稽古で様々なところに指導に行かせていただきました。

横浜そごうのカルチャーセンターに初心者教室・子供クラスができた時には、その指導を担当させていただきました。増田師範から呼び出され、叱られるのかと思っていたら「君の指導先から良い評判を聞いている。横浜の指導に行きなさい」と言われました。

――指導されるようになって、どのようなことが難しかったですか。

「指導というより、稽古させていただいているという気持ちです」と語る田中師範

田中 横浜の場合は皆さん予備知識もない方々でしたので、合気道とはどういうものなのか、取りと受け、稽古のやり方から説明しなければなりませんでした。技もまずは形（かたち）から説明して、徐々に動きを加え、その中で武道性を伝えて、だんだんと様（さま）になる。そこに至るまでに時間がかかりました。

子供の場合は遊びたくて来ているようなところもあるので、まずは楽しく身体を動かすこと。指導というより、一緒に身体を動かし、技に通じる動きを身に付けてもらいました。

また、家庭によっては畳の部屋がないため、正座が苦手だったり、しゃがむとバランスを崩す子供もいます。まず立つ・座るというところから慣らしていくことも必要でした。

自分で道場をやりなさい

――田中道場の設立についてお聞かせください。

田中 本部道場には2年半勤めました。できればもっといたかったのですが、私は長男ということもあり、両親から「これまで好きにさせてあげたのだから、そろそろ実家に戻ってきなさい」と言われ、帰郷することになりました。

奥飛騨円心会の20周年で道主が岐阜に来られた時に、私も呼んでいただき、すでに岐阜で道場を運営されている方々から「一緒にやりませんか」と声をかけてもいただきました。

しかし、故郷に帰る時、道主からも堀井師範からも「自分で道場をやりなさい」と言われていたこともあり、自分で稽古をする場所を作ることにしました。

職場の会議室を借りて、稽古をするところから始まり、当初は職場の人が興味半分で1人、2人と来る程度でした。

常日頃から丁寧に稽古することを心がけている田中師範

そのうち体育施設の武道場を借りられるようになり、学生の頃に合気道をしていたという方や、別の道場や県外で稽古されている方も来てくれて、参加者が少しずつ増えていきました。それが、合気道田中道場の始まりで、平成13（2001）年に設立しました。毎週来る人もいれば月に1回という人もおり、現在では全員合わせて25人ほどでしょうか。

常日頃から丁寧に

――稽古・指導において大切にされていることをお聞かせください。

田中　丁寧に稽古をするということです。道主は常々「腰を低く、技は大きく、そして丁寧に」とおっしゃっています。また、それは吉祥丸二代道主から言われたことだともうかがっています。

　例えば、抑え技では、立った姿勢から座って跪座でピタっと収める。姿勢を整え、立つ・座るという動作をしっかりと行なう。その中で正確な技が身に付き、足腰も鍛えられ、身体も練られていきます。

　普段やっていることしかできないわけですから、常日頃から丁寧さを心がけることが大切です。咄嗟の時の対応に現われると思います。

　また、私はその日の稽古で使うことがなくても、毎回、剣と杖を持っていくようにしています。合気道では武器を捌いたり、奪取する技があります。飯村郁夫師範から剣や杖を、他の武道修行者のように、ただの木製品でなく武器として取り扱いを、身につけていなさいと教えられました。取り扱いの知識だけでなく、自分の動きの邪魔にならないように、物や人に当たらないように持ち歩く。どこかに置く時も丁寧に扱う。その中で、長さ、重さ、感触に慣れていき、武器の取り扱いが自然に身につくと思います。普段からしていれば身につきやすいと考え、稽古に来る方にも、毎回、武器を持参してもらうようにしています。

――今後の抱負をお聞かせください。

田中　合気道は一般的な武道の一つとして認知されています。一方で、開祖が創始され、歴代道主が伝統を守り、伝えてくださった武道でもあります。私は道主、そして本部道場に大変お世話になったこともあり、指導というより、稽古させていただいているという気持ちです。

　抱負といわれても、特に崇高なものはなく、強いて申し上げるならば、怪我をしないということでしょうか。

　大学時代、堀井師範は怪我をして絆創膏やテーピングをしている部員がいると、機嫌を悪くされているように感じました。怪我をするような無茶な稽古をしていることがお気に召さなかったのでしょうね。

　開祖は「合気道は健康法でもある」とよくおっしゃっていたと聞いております。合気道は稽古される人にとって有意義なものであってほしい。理にかなった身体の使い方、技を丁寧に行ない、健康になっていただきたいと思います。

母校・國學院大學の合気道部部員とともに。中央が田中師範

部活動レポート 12

田園調布雙葉中学高等学校

文：田園調布雙葉中学高等学校合気道部顧問　小澤　遥

自立・自律的な雰囲気の中、力強い、しなやかな技ができるよう日々稽古

田園調布雙葉中学高等学校は「徳においては純真に　義務においては堅実に」という校訓の精神のもと、キリスト教教育を行なっている。同校合気道部は昭和46年に創設。練習は指導者と相談しながら進めていく。それによって、生徒たちに自分の行動に責任を持つことを意識させ、自分が関わる共同体や自分自身のためにできることを考える力を養っている。

田園調布雙葉学園について

本校は、「幼きイエス会」というキリスト教の女子修道会のシスターが創立した学校です。フランスで、ニコラ・バレ神父が創立した「幼きイエス会」のシスター、マザーマチルドが日本に来て教育活動を始めたことが本校設立のルーツに繋がります。昭和16（1941）年の創立当初から「徳においては純真に　義務においては堅実に」という校訓の精神のもと、キリスト教教育を行なっています。

また、中学・高校受験がないため、生徒たちは幼稚園または小学校からの12年、14年の時をともに過ごしています。生徒たちは長い学校生活の中で、神の前に裏表ない心で自分らしさを大切に過ごし、他者のために自らの力を使うことができる喜びを学んでいきます。また、自分が人としてすべきこと、神から与えられた自分の使命や役割に誠実に、堅実に向き合うことができることの大切さを学び、そのための力を培っていくことを大切にしています。

本校の合気道部は昭和46（1971）年創設の部活です。はじめは同好会のような形で始まったようですが、5年後に部活の1つとなったと聞いております。

現在の合気道部について

現在部員は、高校2年生11名、高校1年生10名、中学3年生8名、中学2年生5名、中学1年生6名の40名です。通常は毎週火曜日と金曜日、また月に1回程度土曜日

全日本少年少女合気道錬成大会での演武

にも稽古があります。

　毎回、中学高等学校に隣接している小学校の体育館に畳を敷き、稽古を行なっています。週に1回、稽古にいらしていただく本部道場指導部指導員の中村仁美コーチから多くの技を教わり、稽古に励んでいます。夏には3泊4日での合宿を行ない、技を磨いています。

大会・演武会について

　毎年5月に行なわれる全日本合気道演武大会、7月の全日本少年少女合気道錬成大会、8月の全国高等学校合気道演武大会に出場しており、大会に向けて日々稽古に励んでいます。

　本校の文化祭でも演武会を行ない、縦割り演武や学年演武などを行なっています。演武会は卒業した先輩と久しぶりの再会を喜んだり、保護者の方に日頃の練習の成果を見ていただいたりする機会にもなっています。

　また、高校2年生の引退時に、初段審査に合格して黒帯をいただくことを目標に各学年で昇段・昇級審査を行ない、自分自身の技も磨いています。

稽古について

　本校の稽古は体育館に畳を敷き、植芝盛平先生を前に礼・黙想をするところから始まります。本校は女子校ではありますが、毎回力強い、しなやかな技ができるよう日々稽古を行なっています。中村コーチがいらっしゃる稽古の日は、コーチのお心のこもったご指導のもと、稽古を行なっています。

　コーチがいらっしゃらない稽古では、上級生がメニューを考え、見取りや後輩への指導を行なっています。中学生と高校生が一緒に活動しており、それぞれの役割をまっとうしながら良い上下関係を

稽古は植芝盛平先生への礼・黙想から始まる

学校の声

田園調布雙葉
中学高等学校
滝口佳津江 校長

「静けさは、物事に対する新しい見方をつくり出します」

　静けさの持つ創造性を語ったマザー・テレサのことばです。本校合気道部の稽古風景は、深い静けさによって印象づけられます。他の運動部にある歓声「ナイス！」や無言の声となるガッツポーズもありません。ただひたむきに、稽古に励む姿には、「気」に満ちた美しさも感じられるほどです。稽古は、植芝盛平先生のお写真への礼に始まり、礼に終わります。

　この静けさから培われる部員たちの人格の深みは、たとえば国際交流の場面で、道着を持参し日本の「武道」を紹介する場面にも活かされています。

「校長先生、段審査に向かう稽古は、本当に激しい動きをするのですよ」。合宿中に行なわれる段審査を私は拝見したことはございませんが、合宿から帰った生徒たちの達成感と自信に満ちた表情に、その深い意味を感じています。本校の校訓の精神「徳においては純真に　義務においては堅実に」に沿わせますと、堅実な稽古を通して、徳を育む、深い活動が遂行される素晴らしい部活動と思っております。

築いています。時には、後輩の成長を期待して上級生が課題点を指摘したり、折り目正しく接することを重んじる面も多くありますが、稽古時間外では先輩後輩が楽しくお話をしたり、相談をしたりする姿もよく見られます。

本校の合気道部について

本校には様々な部活があり、ミュージカル部や音楽部などといった舞台系の部活や、試合の多い運動部もあります。合気道部には堅実な雰囲気があり、それらの華やかさとは少し違った側面があるかもしれません。しかし、勝ち負け・競技のない中でも、自分が日々努力・精進し、演武会などでその力を全員で発揮する姿からは、本校が大切にしている「義務においては堅実に」に通じる、しなやかな強さを感じます。

力強く、しなやかに

　また、礼儀を重んじることを大切にする部員の姿からは、「小さなことに対しても、また日々の小さな関わりの中でも心をこめる」という有名なシスターの1人であるマザー・テレサの言葉にも繋がるものを、私自身は感じています。

　そして自分たちで練習について考え、中村コーチと相談しながら進めていく自立・自律的な雰囲気は、生徒たちに自分の行動に責任を持つことを意識させ、自分が関わっている共同体や自分自身のために、何ができるかを常に考える力を養っていると感じます。

　合気道部の顧問になる前には、合気道や本校の合気道部が大切にしていることについて、深く理解していませんでしたが、顧問を始めてみると、合気道の奥深さや、本校の合気道部が大切にしていることなどが深く心にしみ込み、大切な活動であることを強く感じることができるようになりました。

　今後も、合気道の発展と、本校の部活の充実を祈り、活動を支えていきたいと考えております。

部員の声

合気道部　現部長

鈴木優子　**高校２年生**

　私は中学校入学と同時に合気道部に入部し、今年度で５年間合気道部に所属しています。入部したきっかけは護身術を学びたいという思いからでした。

　合気道は勝ち負けをつける武道ではないため、人と何かを争うことが苦手な私自身にとても合っている武道だと感じます。

　田園調布雙葉の合気道部は私が入部した当時から部員が多く、畳に部員全員が入りきらず、２部に分けて部活を行なっています。部員が多いことを生かして大会や文化祭の演武では迫力のあるものになるよう、日頃から周りとの呼吸を合わせることを意識して、稽古を積み重ねています。

　毎週中村仁美コーチよりご指導いただいており、技はもちろんのこと、合気道の精神についても教えていただいています。合気道は相手がいてこそ成り立つものなので、組んでいる相手と息を合わせることが大切だということをこの５年間で学ばせていただきました。これからも常に相手のことを意識して技を行なっていきたいと思います。

言葉の掛け方一つでガラリと変わる子供の心に響くコーチング

監修：国際武道大学教授
前川直也
取材・文：合気道探求編集部
イラスト：佐藤右志

第7回
運動技能習得のメカニズムと気づきの与え方

一生懸命、稽古しているけど、自分ではできているつもりのようだけど、教えたことと違う動きになっている……ということはありませんか？　指導者として、子供の技能習得のために課題を指摘し、成果を評価し、現在地を認識させ、軌道修正を促す手法を紹介します。

前川直也（まえかわ・なおや）

国際武道大学体育学部武道学科教授、同大学大学院武道・スポーツ研究科教授。博士（スポーツ健康科学）。日本傳講道館柔道六段、全日本柔道連盟公認Ａライセンス審判員、全日本柔道連盟公認柔道指導者Ａ指導員、公益財団法人日本スポーツ協会公認柔道コーチ３。

著書：『公認柔道指導者養成テキストＡ指導員』（公益財団法人全日本柔道連盟）、『子どもの本気と実力を引き出すコーチング』（内外出版社・共著）がある。

技能習得3つの段階

技能の習得には3つの段階があります。

認知段階（初期）……初めて行なう運動について、その手順や一連の流れを把握する段階です。「どのようにやるのか」「自分にはできそうなのか」を意識的・言語的に認知しようとしている段階です。

この段階では、個別の運動を着実に実行しようとして多くの注意を払うため、運動は遅く、非効率になります。同時に複数の動きを連動させられなかったり、1つ覚えると1つ忘れてしまったりといったケースが見られます。自分の動きの良し悪しや、指導者のお手本のポイントもよくわからない状態でもあります。

技のポイントや課題について具体的に指導しても理解しづらい段階ですので、明らかに間違っているような動きをしていなければ、まずは身体を動かして、手順を覚えることを重視し、「伸び伸びと動きましょう」「身体を大きく使いましょう」といった大まかなイメージを伝える方が効果的です。

連合段階（中期）……認知段階で覚えた基本的な運動パターンを習得すると、より細かい運動の調節を行なうようになります。技全体のイメージを実現するために、各動作を組み合わせて1つの技として習得していく段階です。

この段階になると運動の効率性が高まって、ある程度スムーズに行なえるようになり、動きも部分的に自動化されます。多くの注意を必要とせず、ほかに注意を向けることができるようになり、自分と指導者の動きの違いや、良い動作イメージと実際の自身の動きのズレも意識できます。具体的な指導も受け入れやすい状態になってきます。

自動化段階（終期）……連合段

階で習得した動作を意識することなく自動的に再現できる段階です。複数のポイントを連動させることができる段階でもあります。運動は正確で一貫性があり、効率性が高くなります。この段階では、運動の大部分が自動化されているため、運動以外の部分に多くの注意を向けることができるようになっており、自分で課題を見つけ修正する力も高まってきます。

もちろん自動化の段階だからといって指導が終わるわけではありません。強さ、速さ、滑らかさ、キレ、また相手・状況が変わった時の対応力など、自動化された技能をさらに向上させる様々な要素があります。それらを課題として提供するのが指導者の役割です。修業に終わりはありません。

このように技能の習得には段階があり、指導者は子供の段階に応じた指導を行なう必要があります。

現在地を把握させる課題と成果の伝え方

連合段階に多い「運動の不感性」といわれる、イメージと実際に行なっていることのズレは、自分では気がつきにくいものです。頭ではわかっていて、そうしているつもりでも、実はできていない。ほかの人から言われて初めて気がついたりするものです。自分の感覚・感性だけでは技能はなかなか高まっていきません。

子供が**自分の現在地を客観的に把握するために、指導者は子供をよく観察**し、「何ができていないのか」「どのくらいできていないのか」という課題、そして「ここは上手くできている」「前よりも良くなっている」という成果を伝えてあげてください。

それによって子供も、見てもらっている、励まされている、援助してもらっていると感じて、気持ちを開いてくれるようになります。これをコーチングではフィードバックといいます。

フィードバックには次のようなものがあります。

内在フィードバック…内受容器と呼ばれる筋や腱、関節などの動きの感覚。

例えば、指導者が技をかけてあげる、かけさせてあげるなどして、イメージと実際の動きのズレを**実感させて気づきを与えていきます。**

外在フィードバック…外受容器と呼ばれる視覚、聴覚、触覚などから得られる刺激。

例えば、その子の動きを動画で撮影して見せてあげる。姿が映る鏡や窓ガラスの前でやらせてみる。指導者がその子の動きを真似て見

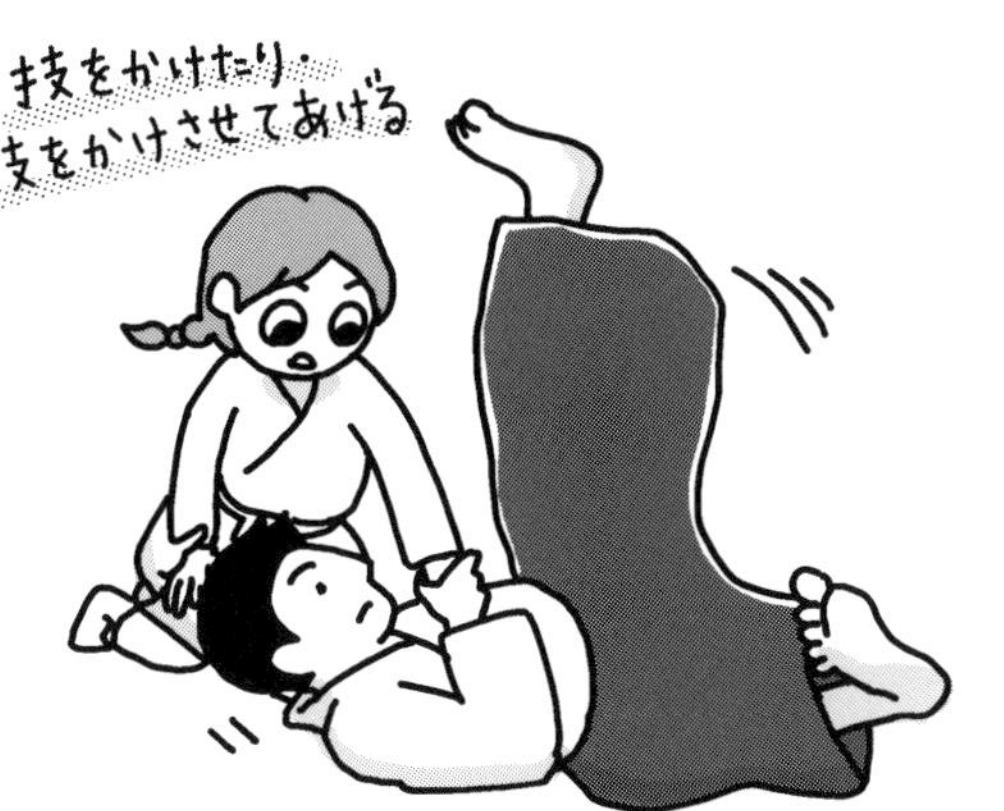

せる。イメージと実際の動きのズレを**客観的に見せて課題を伝える。**良くなっている時は成果として伝えていきます。

付加的フィードバック…他者から与えられる情報。指導者や周囲の人からの言語的な指示、非言語的な情報（声の抑揚、擬音、ジェスチャーなど）です。

例えば、ズレを言葉で指摘したうえで、以前に紹介した、掘り下げる・広げていく質問で、わからないこと、できないこと、どうしたいのか、そのためにどうしようとしているのか……**課題を具体化・細分化していき理解を促進**します。以前に紹介した傾聴のテクニックなども活かしてください。

子供の習熟度が増して自分で調整する力が高まっているようであれば「腕の角度は○度くらい」「あと○cm足を進めよう」といった具体的・客観的な指標を与えてもいいでしょう。指標にとらわれすぎることなく、相手との体格差やタイミングの違いに応じて、自分でイメージを修正していくでしょう。

タイミングと頻度

フィードバックは運動直後に与えるより、適度な時間間隔を挟んだ方が効果的と言われています。「ちょっと動きがおかしいな」と思って指導しても、子供が稽古に集中して興奮している時は、頭に入らない場合があるからです。

しかし、時間を空けすぎると、「あの時の動きは、もっとこうしたら良かった」と言われても、どの動きのことだったのか本人が思い出せない場合もあります。**その子が話を聞ける状況をつくること**が大切です。稽古の中で、指導を行なうタイミングを固定化して、いつフィードバックを行なうかを決めてしまうのも有効でしょう。

子供が**自分で感覚を振り返る時間や、自分で調整する時間を与えること**も必要です。その子が自分で調整できそうなタイミングで声をかけてしまうと気づきの機会を奪うことや、やる気を削いでしまうことになります。

毎回、口出しするよりも、子供の習得状況を見ながら、段階が進むにつれて頻度を低くしていくことが望ましいでしょう。

認知のゆがみの罠
自分に甘く、他人に厳しい

現在地を客観的に把握するのを阻害する、バイアス（認知のゆがみや偏り）を理解しておくことも大切になります。いくつかを紹介していきます。

・自己中心性バイアス

「自分はとても頑張っている。なぜ、真面目にやらない子より上手くならないんだろう」と自分を中心に物事をとらえ、他者への感情の強さを歪めて判断してしまう心理傾向です。

自分の技能を向上させるためには、他者を批評する、他者と自分を比較することは、それほど意味はありません。

・行為者――観察者バイアス

「あの子が上手くできないのは、

真面目に稽古しないからだ。自分が上手くできないのは、体が小さくて力が弱いからだ」と他人の行動はその人の内的な特性に、自分の行動は外的な状況に原因を求める心理傾向です。

自分では修正できない外的な要因（能力・体格）ではなく、自分で修正できる内的な要因（本人の努力や取り組む姿勢）に目を向けさせてください。

・ダニング・クルーガー効果

能力や専門性や経験の低い人が自分の能力を過大評価する傾向です。新しいことを教わって、ある程度できたことで、それが全体の一部にすぎないにもかかわらず、すべてを理解したと思い込んでしまいます。こういう場合は難易度の高い課題を与えて、現在地を認識させるのも効果的です。

学びが進むほど、自分が知らないこと、学ぶべきこと、得意・不得意を知り、正しく自己評価するから人は成長できるのです。

これらのバイアスは指導者にも当てはまります。「何度も言っているんだけど、ものわかりの悪い子だな」「一生懸命、教えているのに、ちゃんと聞いてるのかな？」「子供が上手くなったのは自分の指導のおかげ。上手くならないのは、その子の問題」と思っていませんか。そうならないように私も自分を厳しく戒めたいと思っています。

「できない」を上手く活用しよう

認知バイアスを上手く活用することで、子供の興味や関心を高めることもできます。

カリギュラ効果…人間は「あれはダメ」「これは良くない」と言われると反発したくなるものです。行動を禁止・制限されると、かえって興味や意欲が湧く場合があります。

「そのやり方では技はかからないよ。どうすれば良いかな？　今からに一緒にやってみよう！」と禁止・制限するような言葉のあとに代替案を提示したり、改善策を一緒に考えたりしたうえで、背中を後押しする言葉をかけると効果的です。

ツァイガルニク効果…人間は達成できなかったことをよく覚えており、緊張感も持続します。

「今日は〇〇が上手くできていなかったね。でも、今日はここまで。次の稽古でやってみようね」と言う。「できるようになりたいのに」というモヤモヤした感覚が次の意欲を促進します。

その日のうちにフィードバックを与える時間がない時や、課題の難易度が高い時などに、「次の稽古が楽しみ」という意欲を維持させながら、自分で振り返り調整する時間を与えられます。

その日、**できないことが見つかったとしても、子供が伸びる機会、自分の指導も伸びる機会**だと前向きにとらえていただきたいと思います。

06 最終回

ハラスメントと向き合う──より良い稽古の環境作りのために

日本体育大学スポーツ文化学部教授
日本体育大学学友会合気道部部長
南部さおり

挿絵：佐藤右志

「ハラスメント」が起きてしまったら⁉

「えっ⁉　今のもハラスメント？」。そう思ったとしても、「これ以上は許せない」という被害者が発した最後の警告だと受け止めてください。徹底的に被害者の立場に立って考えることが、ハラスメントの回避、再発防止のために大切になってきます。

これ、ハラスメントか？

令和2（2020）年6月1日に「改正 労働施策総合推進法（通称パワハラ防止法）」が施行され、企業に対する職場のパワーハラスメント防止措置が義務化されました。そして、令和4（2022）年4月1日からは、それまで努力義務とされていた中小企業の事業主においても、パワハラ防止措置が義務化されました。

その内容としては、「事業主の方針等の明確化及びその周知・啓発」「相談に応じ、適切に対応するために必要な体制の整備」「職場におけるパワハラに関する事後の迅速かつ適切な対応」「併せて講ずべき措置」の4つが定められています。

ご存じのとおり、パワハラをはじめとするハラスメント問題はもともと、職場環境での問題だとされていましたが、現在、学校やスポーツ団体などにもその予防及び対応が求められてきています。

皆さんは、道場や職場などでポロッと発した言葉に、「それ、ハラスメント！」「NG発言！」などと言われたことはありませんか？あるいは飲みの席などで、「はい出た、セクハラ発言！」などと釘を刺され、笑いが巻き起こるような経験をしたこともあるかもしれません。

そのような場合、あなたであればどのように対処しますか？「何でもかんでもハラスメントと言われて、下手に冗談も言えない」「何がセクハラだよ！」と、苦笑いでやり過ごしたりしてはいませんか？

プロフィール
南部さおり（なんぶ・さおり）
日本体育大学スポーツ文化学部 武道教育学科教授・医学博士、日本体育大学合気道部部長。高知県生まれ。専門分野は法医学・刑事法学・スポーツ危機管理学。児童虐待やスポーツにおける体罰・ハラスメントに関する問題を、医学・法学等の分野横断的なアプローチで研究している。著書に『児童虐待』（教育出版）、『反体罰宣言』（春陽堂書店）など多数。

最後の警告だと受け止める

　立場が下の人間から「ハラスメント」という言葉が出されたとすれば、その時点ですぐに「これはまずい」と理解し、以降の言動には気を付けなければなりません。そもそも、軽い気持ちで言った言葉に「ハラスメント」というレッテルが貼られた時点で、相手からの「あなたからのそういう発言は不愉快ですから、やめてください」という強いメッセージが込められているということを理解する必要があります。これには、場の空気を読みつつも「これ以上は許せない」と、被害者が発した最後の警告だという想像力を持つことが求められます。しかし、その訴えを軽く受け流し、以降も言動を一向に改めないとすれば、やがて大規模かつ深刻なハラスメント事件へと発展してしまうかもしれません。

　ある高校の部活動で、圧倒的な権力を持っている監督が女子部員たちに信じがたい性犯罪を繰り返している事案がありました。その事案では、監督が「マッサージ」と称して女子部員の下着の上や中から胸を触ったり、下着姿にしたりした際、「これはセクハラか」と、いちいち被害者たちに確認し、それを否定するよう圧力をかけていました。のちに被害者たちは、先生を尊敬する気持ちが強かったため拒否できなかったとか、技術指導してもらえなくなったり、試合にも出してもらえなくなると思い、言いなりになるしかなかったと語っています。この例などは、監督が自らの権力をかさにきて性的欲求を満たす際、被害者らに「セクハラなどと馬鹿な考えを持つべきではない」という圧力をかけることで、声を上げられない状況を作り出し、自らの行為を正当化していたのです。これは「極端な例」ではなく、「ハラスメント」と言われてなお、それを真に受けずに同じことを繰り返すことと、本質において変わるところはありません。

　例え小さい組織や集団の中であっても、上に立つ者に対して「ハラスメントを受けた」と声を上げることには、大変な勇気が必要とされます。しばしば「この集団で上手くやるためには、波風を立てないこと」つまり、ある人物が不適切な言動をしたとしても、我慢すれば済むことで、とりたてて騒ぎ立てることは協調性の欠如であると見なされてしまうのです。

　このような日本の同調圧力によって、これまで多くの被害者たちは口をつぐんできました。しかし、そんなことが繰り返されていると、加害側の人間はどんどん増長し、被害者は増え続けます。そうなってしまうと、悪いのはこれらの加害者たちだけではなく、そのようなことを許し続けた周囲の人々全員ということになってしまいます。

「被害者になる」ということ

「被害者になる」ということは、いわれなく、他者から一方的に「自分」を侵害されるということです。突然の被害体験は、それまでその人が生きてきていた、自分自身でコントロールできる安全な世界を、根底から覆すほどのインパクトを持ちます。加えてハラスメントの被害は、周囲から「大したことではない」と見なされるがゆえに、それを「大したこと」として受け止め、傷ついている被害者の傷はどんどん深くなっていきます。そして、加害者に対する嫌悪感は、様々な身体的変調を生み出します。

　前回の連載でも触れましたが、ヒトの嫌悪感は、大脳辺縁系の

「扁桃体」という部分がつかさどります。扁桃体は生存本能として、ヒトが何らかの出来事に遭遇した際、意識に上がる以前に一瞬で、それが自身の脅威になるものであるかどうかを判断します。そして扁桃体が「不快」と判断すると、視床下部からストレスホルモンが分泌され、その結果、血圧や心拍数が上がったり、筋肉が緊張したりといった自律神経の反応（＝交感神経の緊張）が起こり、それに伴って動悸や手足の震え、発汗、吐き気といった身体症状が現われます。そしてその後に、「恐怖や不安」の感情が発生します。

　つまり、ハラスメントと認知されるような不快感は、自分でコントロールできるものではなく、「脳の情報処理」と「身体の反応」として、否応なしに現われるのです。そしてこうなってしまうと、交感神経が優位になり、脅威となる対象の動向に敏感になり、かつネガティブに認知しがちになってしまいます。そうなると当然、このような不快感を与えてくる対象の接近や言葉がけ、接触は、すべて不快感の引き金になりえます。

必要とされる事後対応

　被害者が真に被害から立ち直るためには、「自分自身をコントロールできる」という感覚や、自信を取り戻す必要があります。それには、被害者の中にある「なぜ、自分にこんなことをするのか」「どうしてなのか」「それを防ぐために何ができたのか」という、加害者に対する疑問が解決されることが必須です。何が、なぜ、という疑問に答えが得られてようやく、予測できる世界に生きる自律した個人として、過去の突然の被害を「予測（知識・理解）の引出し」にしまうことができるからです。これによってようやく、被害者の世界は再び正常化します。

　それだけ、「被害者になる」という体験は理不尽で、重大なダメージとなるのです。そのため、加害者はそのような被害者の心情を十分に理解し、自分のしてしまったことを心から悔い、被害者の痛みを自分の痛みとして感じ、苦しむ必要があります。だからこそ、そのためには「ハラスメント」とその被害について、正しく理解することが必須になるのです。徹底的に被害者の立場に立ち、自らの言動によって相手をいかに苦しめてしまったのかを真に理解すると、心から「取り返しのつかないことをしてしまった」と自らを恥じ、消えてしまいたいほどの後悔の念にさいなまれるはずです。

　そして、そのような姿が加害者の姿に垣間見えた時に、被害者は初めて加害者を許す気持ちになれます。自分と同じ苦しみを味わった人であれば、二度と同じ過ちを繰り返さないだろうと確信することができるからです。

　しかし、被害を完全に「過去のもの」にするためには、これだけでは不十分です。謝罪を受け入れることのできた被害者は、自分自身だけでなくほかの人々に、こうした事態が二度と起こらないという「保証」を求めます。突然受けた理不尽な被害が、未来のために役立つことになるならば、無駄なことではなかったと思うことができるからです。

　特に組織内でこのような事態が起きてしまった時には、「二度と起こらない」と被害者に保証するために、組織をあげていかに原因と向き合い、現実的で具体的な対策が講じられているか、関係者全員がいかに真剣に被害の予防に取り組んでいるかということを、被害者に示し、納得を得る必要があります。

　そのような対策の一つには、「物理的に同じ被害を生まない」ために、加害者の「辞職」をもって幕引きとする方法がありますが、それではもちろん不十分です。問題があった個人を排除することで、他の構成員たちにとっては「見せしめ」になり、「他人のふり見てわがふり直せ」という短期的な教育効果はあるかもしれませんが、ほとぼりが冷めた頃には同じような人物が出現し、同じことが繰り返されてしまう可能性が高いといえるでしょう。

むしろ、ハラスメントをしてしまったことを心から悔い、自らをとことん恥じ、被害者にきちんと謝罪したうえで赦しを得た人物であれば、被害者側から、「ぜひその組織に残り、今後同様の被害を生み出すことがないように尽力してほしい」と望まれる場合もあります。

私は、運動部活動におけるハラスメントによって生徒を自ら死に追いやった指導者が、遺族に心から謝罪し、憔悴しきって職を辞す旨を語った時、逆に遺族から慰留を求められたという話をいくつも知っています。わが子の犠牲によってこの人が真に変わったのであれば、これからは未来の子供たちのためにいい指導者になるだろうと考えたと、遺族たちは語っています。

だからこそ、個人の反省はもちろんのこと、冒頭に挙げたハラスメントの防止策をいっそう徹底するよう、組織を上げて対策を講じることが必要となるのです。

日体大「命の研修会」

私は、平成28（2016）年から日本体育大学で毎年「学校・部活動における重大事故・事件から学ぶ研修会」（通称「命の研修会」）を開催しています。同研修会では、専門家や偉い先生ではなく、実際にわが子を部活動などの学校管理下で亡くしたご遺族などの「当事者」に語っていただいています。

当事者が、体罰やハラスメントなどの不適切指導と、それによって引き起こされた悲劇について「自らの経験」として語るのを聴いた学生たちは、その内容に自分や家族の姿を重ね、当事者の経験を追体験することになります。その体験の中で学生は、被害者とともに痛みを感じ、遺族とともに涙を流し、責任を認めようとしない指導者や学校に対して、怒りを持ちます。そして、学生たちはその強烈な体験によって、自分たちは「絶対に体罰・ハラスメント指導をしない」「他の指導者がやっていたら全力で止める」「生徒のことを一番に考え、生徒の命と健康を守る指導をする」と、固く決意してくれます。

これはまさに上記で述べた「徹底的に被害者の立場に立つ」という疑似体験をすることにほかなりません。「被害を受けるとはどういうことか」ということを理解することができた学生は、指導者になった時、間違いなく「同じような悲劇を二度と繰り返してはいけない」という決意のもとで、生徒たちに向き合ってくれるはずだと信じています。

日体大の上記研修会は、外部の受講者も歓迎しています。一人でも多くの指導者や競技者の方々が、学校・部活動当事者の言葉に耳を傾け、「自分事」として受け止めることで、素晴らしい指導者になるための動機付けを得ていただきたいと思います。

令和6年度大学合気道部員海外派遣（スロバキア）

植芝本部道場長指導による講習会

令和6（2024）年6月5日から12日まで、令和6年度大学合気道部員海外派遣が実施され、6名の大学生がスロバキアのトルナヴァ市の講習会・演武会に参加した。

本企画は（公財）合気会主催によるもので、植芝充央本部道場長の海外出張に学生を同行させることにより、学生に合気道が海外に拡がっていることを実感してもらうとともに、現地での稽古と交流を通じて今後のさらなる稽古意欲の向上、学生合気道の活性化をはかるものである。

応募資格は左記のとおり。

①出発日時点で満20歳以上
②大学合気道部（本部道場指導部関係の部活・サークル等）に所属していること
③すでに初段以上を有する、または出発日までに初段を取得見込みの者
④合気道の稽古を熱心に行なっており、卒業後も稽古を継続する強い意志のある者
⑤応募時点で指導者、保護者、所属する大学合気道部の顧問の同意を取得する者

平成30（2018）年の英国派遣、平成31（2019）年のハンガリー派遣後、令和元（2020）年のブルガリア派遣はコロナ禍により中止されたため、4年ぶりの実施となった。

5日に日本を発った一行はウィーン国際空港に到着し、陸路でスロバキアへ移動。

6日は首都ブラスチラヴァ市を観光したあと、植芝本部道場長指導による合気道トルナヴァ道場（マリオ・チェルニー氏主宰）の稽古に参加。この稽古には約50名が参加した。

7日から9日までは植芝本部道場長の指導によるスロバキア合気道協会の30周年記念講習会がトルナヴァ市のシティ・スポーツホールで行なわれ、計4回の稽古に近隣諸国からも合わせて約400名が参加。

日頃、接する機会の少ない海外の会員との稽古にあたり、しっかりと鍛錬を重ねて講習会に臨んだ。スロバキアには珍しく暑い日が続いたが、学生たちは玉のような汗をかきながら、現地の会員と切磋琢磨した。

8日に行なわれた演武会では、学生たちが幕開けの演武を務めた。初めての海外での演武であったが、動じることなく堂々と演武を披露し、会場からは惜しみない拍手が送られた。海外派遣までの準備、そして講習会での稽古の成果が発揮され、短期間での大きな成長が感じられた。また同日、合気会スロバキア30周年記念祝賀会が行なわれ、現地会員と積極的に交流し親交を深めた。この日は川上泰弘駐スロバキア特命全権大使も来訪し講習会と演武を観覧された。

10日は現地のマリオ氏とロマン・ダニェク氏の案内でトルナヴァ市

川上泰弘駐スロバキア特命全権大使が講習会と演武を観覧された

派遣学生の感想

青山学院大学体育会合気道部
山本宗次郎
充実した稽古をし、様々な人と友だちになれて本当に楽しかったです。

上智大学 Sophia Aiki-kai
鳥居涼里
合気道を通じた交流により、普段の稽古では得られない刺激を受けた。

学習院大学輔仁会合気道部
毛利太郎
海外での稽古を通して自己の弱さを知り、一層合気道への意欲が沸いた。

駒澤大学体育会合気道部
日野菜々子
合気道で世界の人と繋がり、派遣先の文化も学べたとても貴重な経験でした。

防衛大学校合気道部
村山星夢
本派遣での稽古、交流は自分自身を見つめ直す貴重な経験となりました。

甲南大学合気道部
岡本翔真
多様な人々と稽古したことで改善点を洗い出すことができました。

講習会後に植芝本部道場長、本部道場指導部指導員とともに。
左から深浦徹也指導員、山本さん、毛利さん、村山さん、植芝本部道場長、岡本さん、鳥居さん、日野さん、藤田すみれ指導員

熱心に稽古に励み、現地会員と交流を深める

今回の派遣は今後も稽古を続けていくうえでの大きな糧となった

を観光。11日にウィーン国際空港を出発し、12日、無事に帰国し、合気道本部道場を訪れ、植芝守央道主に帰国報告を行なった。

学生の感想から今回の派遣を通じて課題、手ごたえ、刺激を得られ、さらに合気道への意欲が増したことがうかがえる。大学卒業後も長く稽古を重ねていくための大きな糧となったことだろう。

障害とともに 第5回

何ができるのか？
どうすればできるのか？
マイナスではなくプラスを考える

武産館 **加藤知子さん**（四段）

右前腕部に発症した悪性腫瘍（あくせいしゅよう）の手術により、右手の自由が制限されながらも前向きに稽古に取り組む加藤知子さん。稽古復帰までの道のりと、現在の取り組みについてうかがった。

加藤さんの演武

右腕一本、くれてやれ

加藤さんの合気道との出会いは25年前、10歳の時。ご両親が何か習い事をさせたいと思い、そのうちの一つが武道だった。加藤さんの父親の知人が合気道をされていて、その方から勧められたのが川﨑弘徳師範の武産館（和歌山市）だった。

川﨑師範の師匠である佐々木将人師範は中村天風に師事していた。積極思考・プラス思考の提唱者としても知られる中村天風の教えは、川﨑師範にも受け継がれ、道場にもその気風が溢れていた。

加藤さんの父親が中村天風の著書を何冊も読んでおり、「技だけでなく心も修業できる素晴らしい道場だ」と感銘を受け、加藤さんは武産館に入門することになった。

「稽古を始めたらとにかく楽しかったことを覚えています」

加藤さんは、すぐに合気道にのめりこみ、以来20年以上、毎週稽古に通い続ける。

右腕の腫瘍が判明したのは、30歳の時。結婚、出産を経て、加藤さんが「子育てが落ち着いたら、もっと稽古に行って自分を磨きたい」と思っていた矢先だった。

その10年以上前から、右前腕部に痛みがあった。加藤さんは稽古で肘を痛めたことがあり、古傷の痛みだろうと思い、痛み止めやサポーターを使いながら稽古を続けていた。やがて、寝ても覚めても痛みが続き、腕が曲がりにくくなり、腫れあがってきた。これは只事ではないと、整形外科で受診したところ、古傷ではなく、腫瘍によるものだと診断された。

すぐに大学付属病院に行き、精密検査をしたところ滑膜肉腫（かつまくにくしゅ）であることが判明した。

滑膜肉腫はガンの一種。若年成人の腕や脚の関節に発症しやすい悪性腫瘍で、転移した場所が悪ければ死にいたる危険もある。転移を防ぐためには四肢を切断するのが通常の処置だという。

「宣告された時は落ち込みました。でも川﨑師範は常々、〝怒らず・恐れず・悲しまず〟とおっしゃっていて、前向きな気持ちの大切さは、私に刷り込まれていました。自分でも前向きで明るい性格だと思っていました」

加藤さんの上司からは「命より大切なものはない。いまは腕がどうのこうの考えなくていい。目の前の治療に精一杯取り組んで、子供のために生きなさい。右腕一本、くれてやれ」と声をかけられたそうだ。

「上司の言葉に、本当にそのとおりだなと思いました。ガンであってもすぐに命に関わるものではないと、気持ちを切り替えました。

〝怖い〟というマイナスの感情を持ちたくなかったので、ネットや本で病気の情報を調べたりせず、主治医の説明だけ聞いて治療に専念しました」

自他ともに認める「明るい性格」の加藤さん。稽古の喜びに笑みがこぼれる

笑え！

本来であれば右腕を肩から切断するところだったが、加藤さんはまだ若く、子育て中。動かなくても、腕が残るだけで生活の負担は少なくなることから、腕を温存する方針で手術が行なわれることになった。

令和2（2020）年12月。加藤さんの長い治療・手術が始まった。

まず手術の前に、抗がん剤と放射線で腫瘍を小さくする治療が行なわれた。

「抗がん剤治療はきつくて、髪が抜け落ち、吐き気もひどいものでした。免疫力が下がるので無菌室に隔離された期間もありました。

辛いことにフォーカスすると、どんどん負の感情に飲み込まれていきます。何か楽しいことをしようと考えて、入院中は趣味の刺繍をやりました。一針一針に集中することで辛さを忘れることができました」

子供の頃から加藤さんと一緒に合気道の稽古をしていた弟は、加藤さんを激励するために、川﨑師範に色紙に一筆をお願いした。その色紙にはこう書かれていた。

「笑え！　明るくなければ知子じゃない」

この色紙と、道場の仲間が書いてくれた寄せ書きは常に加藤さんの枕元に置かれていた。加藤さんは毎晩寝る前に、また治療が辛い時に目にしては気持ちを奮い立たせた。

「おかげで嘔吐することなく、体力を落とさないように食事をとることができました。幸いなことに食事制限がなかったので、好きなものを食べて気持ちをポジティブにして、入院中も楽しい思い出しかありませんでした」

加藤さんのポジティブさは、看護師や同じ病室の方から「なんで

川﨑弘徳師範と、加藤さんの二人のお子さん

家族のような稽古仲間とともにプラス思考で稽古に励む

そんなに明るいの？　こんなに明るいガン患者さんを見たことありません」と言われるほどだった。

合気道を稽古したいな

4クール（約4か月）にわたる治療を経て、令和3（2021）年の3月に手術が行なわれた。広範囲切除術といって、ガン細胞が浸潤している部分をすべて取り除くものだ。

手首、肘を曲げる筋肉7か所を全摘出、2か所を一部切除。前腕にある神経を1本切除し、残りを温存。動脈1本を切除、もう1本をアルコール消毒し腕に戻して再建する。

肘の関節は、上腕・前腕の骨をすべて切断し、関節部分をすべて取り出し液体窒素に浸けてガン細胞を死滅させ、再び体内に戻し、プレートで固定する。

術後については「どれだけ腕が動くようになるかはわかりません。腕のすべてが動かなくなる可能性もあります」というのが主治医の説明だった。

それでも加藤さんは、合気道の稽古ができるようになるかどうか、改めて主治医に尋ねた。

「合気道をずっと続けてきて、人生の大部分を占めています。私から合気道をとったら何が残るのだろう。〝合気道、もうできないのかな？〟と〝合気道を稽古したいな〟という両方の気持ちがありました。私は人に恵まれていて、周囲の人はポジティブな人ばかりで、マイナスの言葉を言う人がいないんですよ。主治医も〝できない〟とは言わず〝できたらいいですね〟と言ってくれました」

加藤さんは懸命にリハビリに取り組んだ。

「指は全部動きます。手首は手の甲の方には曲げられませんが、手の平側には曲がります。肘は伸ばした状態から、60度ほどまでは自力で上げられるようになりました」

作業療法士、理学療法士が「こんなに動くようになるとは信じられない」と驚くほどの回復ぶりだった。

今の身体でできることを

稽古に復帰したのは令和5（2023）年の4月。

「家でいつも合気道の楽しさを話すのを聞いていた息子が合気道をやりたいと言ってくれたので、息子を川﨑先生の道場に通わせてもらうことになりました。稽古を見ていると、やっぱり自分もやりたくなりますよね。主治医に相談したら、プロテクターをつけたうえで、右腕を使わずに稽古をするのであれば許可が出ました」

川﨑師範に「道着を着て、座って見ているだけでもいいので、私を稽古に参加させてもらえませんか」とお願いしたところ、「片腕でもできることがあるはずだ。今の身体でできることをすればいい。座って見ているだけじゃなくて、一緒に稽古をしよう」と稽古復帰を歓迎された。

お互いにわからないから一緒に考える

「稽古を再開しましたが、当たり前に使えていた右腕が使えない。当身を入れながら技を掛ける、右手を添える、左右の手を入れかえる……こういう動きは全くできません。左手だけで投げる技も、実は右手でバランスを取ったりしています。そのバランスの取り方も変わってしまう。今までと全く違う感覚に、戸惑いだらけでした。体力も落ち、勘も鈍っていました。

片手でやるにはどうすればいいのか、やり方を変えればできることもある。それは頭ではわかっていても、なかなかできない。つい、腕が以前のように使えたらと思ってしまう。同じことは日常生活でも感じました」

　片腕が使えない中での稽古を模索しているのに、以前のように使えていた時のことを考えてしまうジレンマ。10か月近く続いたという悩みに対して、川﨑師範、先輩、稽古仲間が手を差し伸べてくれた。

「私もどうしていいかわからないし、相手もどうしていいかわからない。お互いに戸惑い不安だったと思います。ある時から、〝どうしたらいいかな？〟と一緒に稽古の方法を考えるようになりました。〝これはどう？　このやり方はどう？　できる？　できない？〟

　それに対して私も意見を言う。どちらかが一方的に考えるのではなく、お互いにわからないからこそ、一緒に考える。何ができるのか、どうすればできるのか、マイナスではなくプラスのことを考えていくことが大切だと感じます。」

　手術後1年半が経った頃、再建していた肘関節部分の骨がもろくなってきたため、人工関節を入れました。人工関節は衝撃・負荷に弱くて、5kg以上のものは持たないようにと注意されています。その点についてもとても気を付けて稽古をしてくれます。10歳の頃から通っていると家族のような気持ちです。申し訳ないなという気持ちと同時に、ありがとう・うれしいな・楽しいなという気持ちでいます」

　障害を持ちながら稽古をされている方、これから始めようという方に対して加藤さんはこう語る。

「私は試行錯誤中です。私と同じように障害を持ちながら稽古をされている方がいたら、ぜひお会いして、皆さんがどういう風に稽古をされているのか、どんなお気持ちでいるのか、ぜひ教えていただきたいです。

　これから始めようという方は、難しいかも、無理かもという気持ちもあると思います。でもいろいろな道場があり、その方に合う先生、道場、仲間、ご縁は必ずどこかにあると思うので、それに出会えてほしいなと思います」

　どんな時も前向きな気持ちを忘れない加藤さんは、これからも仲間とともに壁を乗り越え、己を磨き続けていくことだろう。

武産館の皆さんと。3列目・右から3人目が加藤さん

右手の自由が制限されても常に前向きに稽古に取り組む加藤さん

合気道仲間のお仕事拝見！

人文系私設図書館ルチャ・リブロ――

青木真兵

奈良県の山村で私設図書館を営む青木真兵さん。山村での暮らし、図書館の運営、障害者の就労支援……それぞれの取り組みには合気道で身につけた発想が活かされている。

住まわせてもらっているという感覚

私は奈良県東吉野村という山村に住みながら、自宅を開いて妻と人文系私設図書館ルチャ・リブロを運営しています。平成28（2016）年4月に引っ越してきたので、山村での暮らしも丸8年になりました。もともと、私は大学院で古代ヨーロッパ史を研究していました。その頃に内田樹先生の本に出会い、ゼミ生となったことをきっかけに合気道を始め、15年ほどが経ちました。

私たちは兵庫県の西宮市から東吉野村に移住したのですが、山村に住みたかったというよりも都市での生活に耐えきれなくなったという方が正しい表現かと思います。都市と山村はその成立原理が異なります。都市は人間が計画、設計し、自然を切り拓いた場所です。その前提には科学的合理性や経済的合理性があります。つまり、都市で暮らす人びとには、否応なしに理性的であることが求められています。

ただ山村は（少なくとも私たちが住む東吉野村は）異なります。山村で人びとは谷底を流れる川から立ち上がる縁の、住めそうな場所に住んでいます。もしくはその斜面の途中の少し平らになったところや頂上の台地などに家を建てて暮らしています。ここでは住んでいるというより、「住まわせてもらっている」という感覚に近い気がします。人が設計し自然を切り拓いた場所に住んでいるのと、自然の中の住めそうなところに手を加えて住まわせてもらっているのとでは、自分たちの存在の前提が大きく異なります。

実感とともに生きる

3・11東日本大震災以降、電気

PROFILE

青木真兵　あおき・しんぺい

昭和58（1983）年生まれ、埼玉県浦和市に育つ。「人文系私設図書館ルチャ・リブロ」キュレーター。博士（文学）。社会福祉士。平成28（2016）年より奈良県東吉野村に移住し自宅を私設図書館として開きつつ、現在はユース世代への支援事業に従事しながら執筆活動などを行なっている。著書に『武器としての土着思考　僕たちが「資本の原理から」逃れて「移住との格闘」に希望を見出した理由』（東洋経済新報社）、『手づくりのアジール――土着の知が生まれるところ』（晶文社）、妻・青木海青子との共著『彼岸の図書館――ぼくたちの「移住」のかたち』（夕書房）、『山學ノオト』シリーズ（エイチアンドエスカンパニー）などがある。
合気道初段。

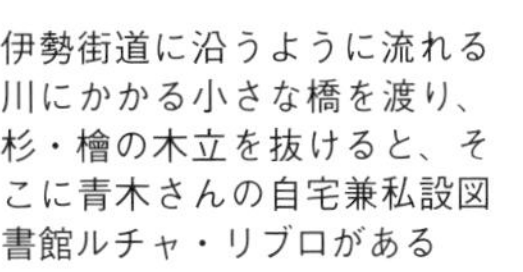

伊勢街道に沿うように流れる川にかかる小さな橋を渡り、杉・檜の木立を抜けると、そこに青木さんの自宅兼私設図書館ルチャ・リブロがある

に依存し過ぎた社会を維持するため、原子力発電を用い続けることへの疑問は日に日に大きくなりました。震災後しばらくは原発を停止し、計画停電をしていて、東京の夜がちょうどよい明るさだったことを覚えています。しかし、時が経つにつれ原発の再稼働が決められ、再び私たちは過度に電気に依存した生活へと立ち戻ってしまいました。私は都市において人間が自然を理性や科学によって支配下におき、合理的に生きる生活があまりにバーチャルなものに思え、ますます実感が抱けなくなりました。この「実感とともに生きる」ことの重要性を確信させてくれたのも、そもそもは合気道のおかげだったと思っています。

いまあるものの可能性

合気道は、普段の生活で言われるようにとにかく努力してがんばれば成長し、より筋肉がついて強くなることを目指すものではありません。力を抜いて、自分の腕の長さ、足の長さ、腰の悪さや力んでしまうポイントなど、自分が有している資源に目を向けます。その資源の有無を否定しても仕方がなく、そこから話を始める。むしろ、その資源をいかにうまく使うかというふうに発想を転換することが重要なのだと思っています。合気道を通じて、このような考えを身につけていたことが山村で暮らしていることに繋がっています。

自宅を開いて運営している図書館では、自分たちが持っておきたい本、ほかの人にも読んでほしい本だけを置いて貸し出しています。大型書店や公立図書館と比べれば、蔵書数は圧倒的に少ないことは明らかです。これも足りない本を数えていくよりも、私たちが読んできた本やこれから読みたい本という有限性を基点にして考えています。そこには「いまあるもの」の可能性を十分に発揮できているのかという問いがある気がしますし、本を私蔵しているだけで誰も読むことができないよりも、少しでも多くの人に読んでもらった方が社会全体の知の総数は増加するのではないかと考えています。これも合気道のおかげで身につけた発想だと思っています。

歴史・文学・思想・サブカルチャーなど、人文系の書籍を中心にラインナップはさまざま。その数は約4000冊にのぼる

枠組みを取り外してみる

また、昨年まで障害者の就労支援の仕事をしていましたが、ここでは合気道を通じて「働くための身体づくり」を行なっていました。障害とは、本人に絶対的な欠陥や疾患があるために名づけられるのではなく、社会が健常という枠組みを設けるために形成されたものです。つまり、健常や標準、定型といった枠組みが障害を生み出したといえるのです。その社会的な枠組みをいったん取り外し、各々が有する資源に目を向けた時、もしかしたらそれは障害ではなくなるかもしれません。そのことを、合気道を通じて実感してもらおうと、呼吸法、身体の使い方、合気道を通じた身体的なコミュニケーションを体感してもらいました。

すると就労において必要とされる効率性、合理性に基づく能力といわれるものと、合気道を通じて発揮されるものが決して相関しないことがわかりました。知的障害がある方がとてもなめらかに後ろ受身をしたり、最初は全くぎこちなく身体動作が苦手だった発達障害の方が、呼吸法を長くやることで、日々のパソコン業務で肩が上がり浅い呼吸になっていると気づくことができました。

この経験は、現代社会で求められている能力が、その人が有する能力のすべてではないということを教えてくれました。現代社会ではたまたまその能力が求められているけれど、人はそれ以外の力も持ち合わせています。しかし、社会で必要とされる場面や基準から逆算して教育が行なわれると、あたかもそれがその人の能力のすべてだと思ってしまうのが怖いところです。

このように、私が内田樹先生のお言葉や合気道を通じて学んだことは、目の前に存在しないものを追い求めるのではなく、今実際にあるものの可能性をより引き出すという発想であり、それを実感を伴って身につけたことだと思っています。

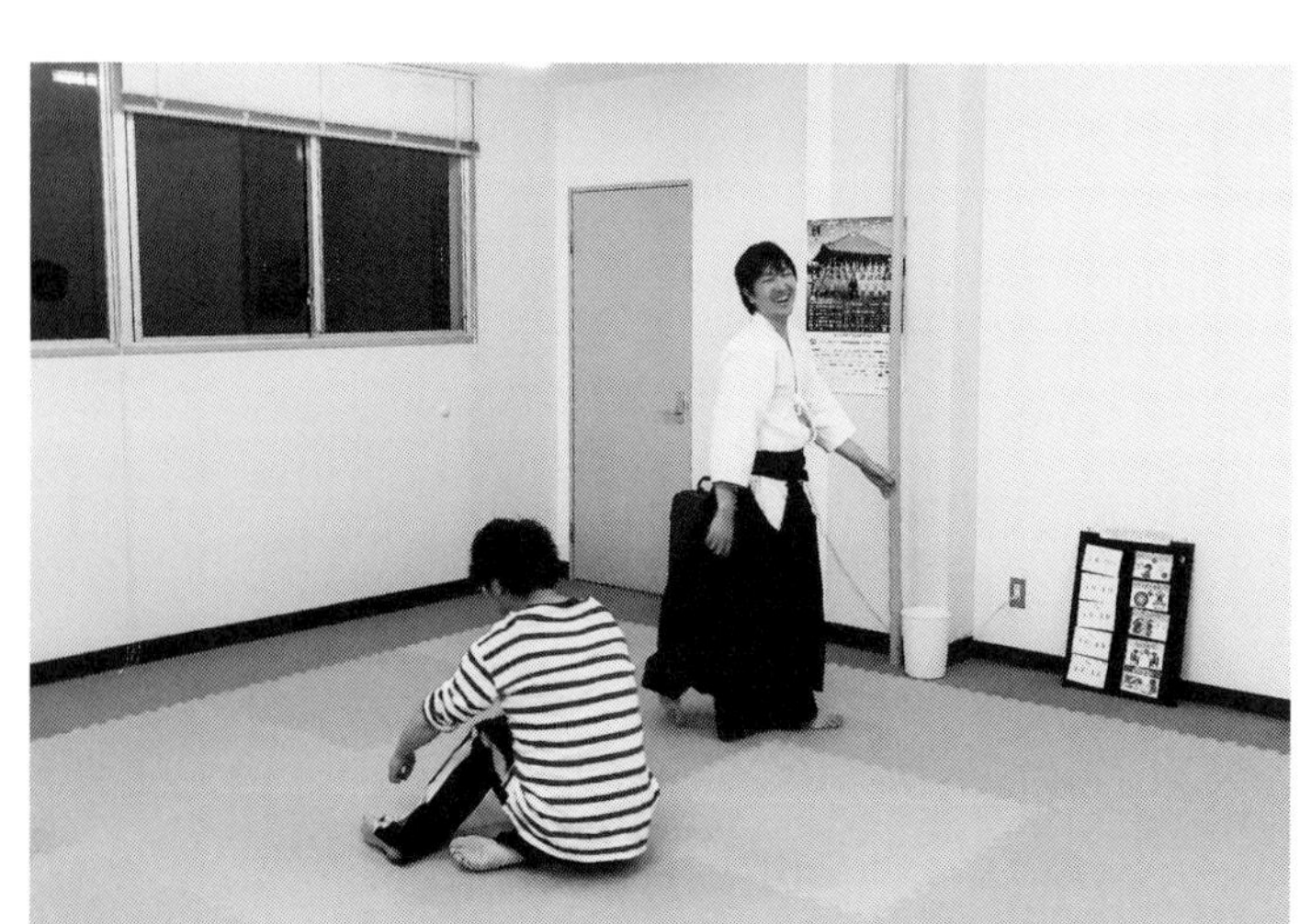

就労支援事業所で稽古に励む青木さん

われら合気道家族 VOL.60

合気道は人生を豊かにしてくれる生き方

合気会茨城支部道場（雄一朗、崇史）
つくば合気道会（崇史、優衣花）
鈴木さん一家

左から、崇史くん、雄一朗さん、優衣花さん

今回紹介する鈴木さん一家のお父さん・雄一朗さんは、開祖植芝盛平翁が長年稽古をした岩間に生まれ、岩間合気道スポーツ少年団で合気道を始めました。その後、長男、長女は自宅に近いつくば合気道会に入会。今では合気会茨城支部道場で父と長男、つくば合気道会で長男、長女が、また時には、父もつくば合気道会で稽古に励んでいます。

鈴木さん一家のプロフィール

［父］	鈴木	雄一朗（ゆういちろう）	稽古歴19年	四段	会社役員
［長男］	鈴木	崇史（たかふみ）	稽古歴5年半	4級	中学1年生
［長女］	鈴木	優衣花（ゆいか）	稽古歴2年半	7級	小学5年生

合気道との出会い

私は茨城県西茨城郡岩間町に生まれました。開祖植芝盛平先生（以下、大先生）が合気神社を建立し、長年稽古をした岩間です。

空手と居合をしていた父は、息子にも何か武道をやらせたいと思い、私を岩間合気道スポーツ少年団に入団させました。それが合気道との出会いでした。私は8歳、小学3年生でした。少年団は、渡引好文先生、平澤憲次先生、磯山俊博先生、真家治男先生の4名の先生からご指導をいただいていました。正直に言うと、

令和2年、コロナ禍に公園で稽古する雄一朗さんと崇史くん

この頃は、合気道はあまり好きではありませんでした。なぜなら、朝6時半からの稽古で、いつも眠い目をこすりながら参加していたからです。また、冬はとても寒く、靴下を3枚重ねてはいて稽古したことを思い出します。当時ご指導をいただいた先生のうち3名の先生には、のちに茨城支部道場に入門してからもご指導をいただくことになります。

中学・高校時代は水泳部に入り合気道から離れていましたが、筑波大学への入学をきっかけに、体育会合気道部に入部しました。大学では週5回稽古があり、毎週土曜日には本部道場から関昭二先生にお越しいただき、ご指導をいただいていました。現役部員は25名くらいで、そこにOB・OGの先輩方が5名くらい来てくださっていました。大学時代の稽古は、「受けのみ」や「成人稽古」「幹部交代稽古」などがあり、学生らしい稽古でした。身体はいつもアザだらけで、同期と一緒にどうにか乗り切った、という感じでした。稽古だけでなく、学園祭での出し物や餅つきなどもあり、振り返ると楽しい思い出がたくさんあります。

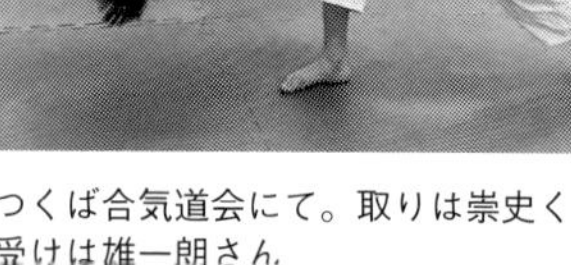
つくば合気道会にて。取りは崇史くん、受けは雄一朗さん

大学卒業後は仕事の都合で少し合気道から離れていましたが、転職を機に合気道を再開することにしました。職場が岩間の近くでしたので、迷わず茨城支部道場に向かいました。ここで忘れられないエピソードがひとつあります。初めて道場に着いて、約17年ぶりに渡引先生にお会いしました。その時、私が自己紹介をする前に先生は「鈴木か?」とおっしゃったのです！　この時は本当に驚きました。渡引先生は数十年にわたり、数百人の子供たちを指導してこられたと思います。そんな教え子のひとりの名前を憶えてくださっていたのです！

子供の頃、私にとって渡引先生は一番怖い先生でした。今では「子供たちに愛情があったからこそ厳しかったのだな」と理解しています。厳しい先生でしたが、支部道場の住み込みの方々にも大変人気のある、愛される先生でした。先日、先生の5年忌に道友のスヴェトリョと墓参りに行きました。道場で摘んだ花を添え手を合わせると、渡引先生の厳しくてあたたかい茨城弁が聞こえたような気がしました。

鈴木家としての合気道 家族のはじまり

平成30（2018）年の冬、長男の崇史が小学1年生の時に、合気道を始めました。毎日のように道場に通う父を見て、合気道に興味を持ってくれたのだと思います。岩間は自宅から遠いため、つくば合気道会の鈴木雄大先生の道場に通うことにしました。雄大先生は子供たちにも大変人気のある先生で、少年部だけでも100名くらい所属しています。膝行の鬼ごっこや障害物を飛び越える前回り受身の練習など、子供たちが楽しく稽古できるよう工夫されています。現在は、崇史、長女の優衣花と一緒に私も少年部の上級クラスに参加させていただいていますが、中学生も増えてきて運動量も増え、子供たちの身体づくりにもとても良いと感じています。

子供たちとの思い出では、令和元（2019）年の茨城国体があります。合気道には試合がありませんが、茨城支部道場特設会場で演武大会が開催されました。崇史はつくば合気道会から出場し、堂々と演武をしていました。また、本大会には国際合気

茨城支部道場にて。左から、雄一朗さん、植芝充央本部道場長・茨城支部道場長、崇史くん

道連盟からもグループが出場し、このために海外の私の友人たちが多数岩間に来ていました。演武の前に、崇史も優衣花も恥ずかしがりながらも彼らと話をすることができました。この時、「合気道を通して世界中の人たちと仲良くなれる」ことを知ってもらい、もっと合気道を続けてほしいと強く思いました。

また、崇史に助けられたこともあります。令和2（2020）年に新型コロナウイルスが世界を襲いました。その時、茨城支部道場も約1か月閉鎖されました。私は武器の稽古をしたかったのですが、近所の公園で武器を振り回していると警察を呼ばれてしまうかなぁ……と思っていました。そんな時、崇史が一緒に武器の稽古をしてくれました。私は「公園で武器を振り回す怪しい男」から、「子供に習い事を教える優しいお父さん」に早変わり。家族で合気道をしていて良かった瞬間のひとつでした。

令和5年、ポーランドでのセミナーにて。撮影：Dariusz Tkaczyk

今年1月から崇史は岩間の茨城支部道場に入門しました。稲垣先生をはじめ岩間の先生方にご指導をいただいており、毎月1回は植芝充央本部道場長・茨城支部道場長にもご指導いただいています。茨城支部道場の先輩方も崇史をかわいがってくださり、安心して親子で稽古に参加しています。

合気道を稽古する目的
——合気道家族

皆様の合気道を稽古する目的は何ですか？　技が上手くなりたい、強くなりたい、健康維持のため、いろいろあると思います。私の目的のひとつは、「民族、宗教、思想及び政治を超越した良い人間関係をつくる心を養成すること」です。これは、稲垣先生が大先生のお話からまとめられた、合気道修行の5つの目的のうちのひとつです。

私は、毎年延べ200名くらい岩間に来てくれる外国人の道友と一緒に稽古しています。また稽古だけでなく、パーティーをしたり、温泉に行ったりと、様々な交流をしています。そして今までに3回、先生方の海外セミナーに同行させていただきました。昨年のポーランドでのセミナーでは、20か国から集まった250名が一緒に稽古し、夜はパーティーをしました。そこには、まさに民族も宗教も思想も政治も超越した一体感、「合気道家族」がありました。

大先生の道歌に次のものがあります。

「美しき　此の天地の　御姿は　主のつくりし　一家なりけり」

合気道を稽古していく中で、民族や宗教等を超えた人間関係を築いていけば、やがては大先生の目指した地上天国建設に少し近づくのではないかと思います。まずは身近な家族、友だち、合気道仲間から、そして世界中の合気道仲間へ。合気道を通して世界中がひとつの「合気道家族」になることが、合気道を稽古する目的のひとつだと思います。

私にとって合気道はただの武道でも習い事でもなく、生き方そのものなのです。

稲垣先生（前列中央）をはじめ、茨城支部道場の道友と

問わず語り

赤門合気道倶楽部会長
宮内庁次長
黒田武一郎

何のための道場稽古か

武道との関わりは高校での柔道部が始まりです。中学校では陸上部に入り短距離をしていましたが、高校入学時に、剣道家の父親から、武道系の部に入らないのであれば学費は出さないと無茶ぶりをされ、意地でも剣道はするまいと思い、入ったのが柔道部でした。顧問の先生は日本体育大学柔道部を卒業したばかりの柔道家で、体力とセンスで柔道をするというタイプでした。もちろん、先生は柔道の術理は習得していたのでしょうが、私のような体型の人間も柔道の基礎を教わらないままに筋トレと乱取りをひたすら続けました。そして、いかに自分は互いが組んで行なう武道に不向きなことを実感して卒業することとなりました。

父親が相変わらず武道をしろと学費で攻めてくることに加えて、柔道での不完全燃焼感を何とかするために、東京大学では合気道部に入りました。師範からの助言により、余分な力を抜くためにボクシングジムにも通うなかで、どうしたら人の身体は崩れるのかといった理合いや、呼吸法の有効さなどに目覚め、卒業しても追求したいと思いました。以来、合気道部への入部とともに入門した明治神宮武道場至誠館の門人として過ごしてきました。

仕事の上では、当時の自治省に入省したことから、地方勤務も何度か経験しました。最初の秋田県庁勤務ではスキーにはまりました。次に勤務した広島市役所では合気道部に入り、全日本合気道演武大会に参加できたことは良い思い出です。

二度の勤務となった熊本県庁では、全日本選手権覇者である熊本県警剣道師範の稽古会を見学して、父親の呪縛を吹っ切りました。ここで始めないと一生後悔をすると思い、31歳で竹刀の握り方から教わりました。剣道を始めると、自分には一番向いているという実感があり、二度目の勤務は単身赴任であったことからも、仕事以外のほとんどは剣道に打ち込みました。

剣道と合気道は東京に戻ってからも至誠館で稽古を続けてきましたが、コロナ対応で一時的な閉館を繰り返した頃から、職責により道場での稽古に復帰できない状態となり、現在に至っています。

自治省は3省庁の合併により総務省となり、40年あまり勤務して退官しました。そして、1年あまりの金融機関勤務を経て、令和5（2023）年末から、宮内庁に奉職しています。合気道との関わりにおいては、総務省退官後に、東大合気道部のOB会である赤門合気道倶楽部の会長を命じられ、現役の支援にも目を配るようになりました。

こうして振り返ると、あっという間に時は過ぎ去ったというのが実感ですが、心を錬ることよりも術の習得に走ってしまう私に対して、合気道と剣道ともに師範から投げかけられてきたことは、何のために道場で苦しく危険な稽古をするかを常に考えなさいという一点につきるように思います。

武道のプロを目指さない限りは、相手の呼吸や間合いを見極め、機を逃さずに身を捨てて踏み込む覚悟などを、現実の社会生活に活かしなさいという指摘です。この拙稿に向かうに際しても、師範からいつも言われてきた「文武不岐」「終即始」「剣徳正世」をぼんやりと受け止め続けて、気がつけば故障をあちこちに抱えて道場への復帰を悩んでいる自分がいます。

少なくとも、この問題意識を最後のご奉公で活かさなければと思います。もともとは武道家よりも小説家を夢見た文学青年の成れの果て、今は、ジョギングに精を出す自称「たそがれランナー」としても（笑）。

問わず語り

谷神会 福井合気道錬成会師範
酒井薬局
酒井亨

合気道は可能性をひらく道

いつの間にか合気道に入門させていただいてから30年以上の月日が経ちました。合気道を始めた目的は、自身の生活を東洋的なものにしたいというものでした。私の本業は漢方医学で、特に陰陽論で古典のすべてを解釈するものであるため、自らの行動や思考のあり方を東洋的なものに変えていく必要性を強く感じたのです。

入門させていただく前、合気道はスポーツ化した他の武道とはものの考え方が全く違うように見えました。特にそれは開祖の言葉によく表われていると思いました。実際に合気道を始めてみると、これこそ私が求めていたものだと感じました。稽古に参加するたびに心も身体も伸びやかになる感覚があり、ものの考え方も柔軟になり、漢方の学びもスムーズに進むようになりました。

そうして、30年余りが経過してみると、仕事も合気道もなかなか進歩してはおりませんが、ひとつ言えることは、どちらもとても楽しく続けることができているということです。特に最近は、少年部の会員に単なる護身術などとはまったく違う、合気道の効用を話すことが多くなってきました。開祖が言われたという「落ちるような飛行機には乗らんようになる」とのお言葉のような力を、合気道の稽古を通じて得ることができたなら、それは突如ふりかかる災難に際しても大きなメリットとなると思うのです。混迷を極めるこの世の中で、「何が、どこが、安全である」と断言することは非常に難しいことだと思います。何か信頼できる力を身につけて、世に出ることができるなら、それはとても大きな自信となるに違いないのです。

身体も小さく力も弱い少年部の子供たち相手に、見た目や腕力とは全く違う、肌感覚で危険を自然に避けていく力を身につけることの大切さを学んでもらい、不安定な要因の多いこの世の中を悠々と生きていってもらいたい、そう考えるのです。

ひとつの能力開発法として、合気道を楽しく、真剣に取り組んでいくことには他の武道やスポーツとは比べられない、かけがえのない価値があるものと思います。そして、一人ひとりの子供たちが自分の感覚を信じて人生の進路を選び、大きなやりがいを感じながら過ごしていくことができるならば、日本という国、ひいては世界にとって、とても良い影響を与えていくことになると思うのです。

世の中がある日突然良くなるということはないと思いますが、合気道を学んだ子供たちが物事の善悪美醜を正しく感じ取る鋭い直観力に基づいて生きていくならば、たとえどんなに長い時間がかかっても、必ず世の中は現在の混迷の状態から脱出していくことができるのではないでしょうか。合気道を学ぶ人たちが皆、開祖の説かれるような人材へと成長することができれば、これはやがて世界の安穏にもつながることになるなあ、などと考えている今日この頃です。

全国道場だより

合気道の輪は日本全国に広がり、地域に根付いています。このコーナーでは、各地の道場の様子を紹介します。

埼玉県

【合気道桶川愛気会】

合気道桶川愛気会は昭和53（1978）年の発足当初から、石川宏師範に指導をいただき、今年で創立46年を迎えます。石川師範は昭和12（1937）年に生まれ、昭和30（1955）年に合気会に入会しました。開祖からも指導を受けたあと、米軍座間キャンプなど各地で指導をされました。

　石川師範は、合気道の基本は崩しであり、崩しは入身であり、入身は受け入れであり、和の心だと指導されてきました。そして、相手とぶつからず、自我を出さず、自己を磨くことが重要とされています。また、剣の動きを徒手に繋げることも重視されており、稽古を剣や杖の稽古から始めることも当会の特徴の一つです。

　当会には未就学の子供から80代までの幅広い年齢層の会員がいます。中には仕事や家庭の事情で一時的に稽古を休止される方もいらっしゃいますが、再び戻って来られる方もいます。コロナ禍で子供を中心に会員数が大幅に減少しましたが、最近になって少しずつ回復する兆しが見られます。

　（公財）合気会の「道場および団体の登録・公認規定」の第1条（目的）にもありますとおり、当会は合気道を学ぶ者、生涯学習として合気道を楽しむ者、または人間交流の場となっています。当会が合気道を求めて集まる人々にとって有意義な場であれば幸いであり、合気道の裾野が広がっていくことに寄与できればと願っています。

Dojo Data

[道場名] 合気道桶川愛氣会
[責任者氏名] 尾澤　透
[携帯番号] 080-2211-7770
[E-mail] quantumr1@gmail.com
[創立年月日] 昭和53（1978）年9月18日
[稽古場所] 桶川サンアリーナ柔道場
[稽古日・時間]
土曜日／10：15～11：45
日曜日／9：30～11：45
[会員数] 50名

東京都

【国分寺合気会】

国分寺合気会は、昭和60（1985）年に東京都の中央部にある国分寺市で発足し、主に国分寺市と府中市で活動をしています。稽古場所はいくつか移転しましたが、発足時から日曜日の午前と木曜日の夜に稽古を実施してきました。

道場責任者である私（菅原憲二）が令和2（2020）年に勤務していた防衛省を定年退官したのをきっかけに、現在の府中市栄町に道場を移し、現在は週5日14時間稽古を実施しています。

道場は、近くに武蔵国分寺史跡、南2キロ程の場所に武蔵国総社の大國魂神社のある幹線道路沿いにあり、JR中央線国分寺駅、JR武蔵野線北府中駅、京王線府中駅からもアクセス可能な場所です。

道場を移転したのが、まさにコロナ禍の始まりの時で、当初2か月間は稽古ができず、その後も試行錯誤の中で稽古を続ける状況でした。

去る5月12日に（公財）東京都スポーツ協会から、生涯スポーツ優良団体として表彰をしていただきました。苦しい中でも、今まで無事稽古を続けることができ、表彰までしていただけたのも、稽古に通ってくれる道友の皆さんがいてこそと、改めて感謝しています。

合気道と出会い半世紀余り、本部道場では、植芝吉祥丸二代道主、植芝守央道主のお教えをいただきました。また、有川定輝師範には受けを取らせていただきました。先生方の教えを一人でも多くの人に伝えられるよう、これからも道友の皆さんと稽古を続けていきたいと思っています。

Dojo Data

［道場名］国分寺合気会
［責任者氏名］菅原憲二
［電話番号］042-322-5278
［携帯番号］080-6543-9823
［E-mail］sugawara55-5278@ab.auone-net.jp
［創立年月日］昭和60（1985）年
［稽古場所］東京都府中市栄町 2-11-11-102
［稽古日・時間］
月曜日／10：00～11：00、16：30～17：30、18：00～19：00
水曜日／10：00～11：00、15：30～16：30、18：00～19：00
金曜日／10：00～11：00、16：30～17：30、18：00～19：00、19：00～20：00
土曜日／16：00～17：00、17：10～18：10
日曜日／10：00～11：00、11：10～12：10
［会員数］30名

京都府

【宇治祥平塾】

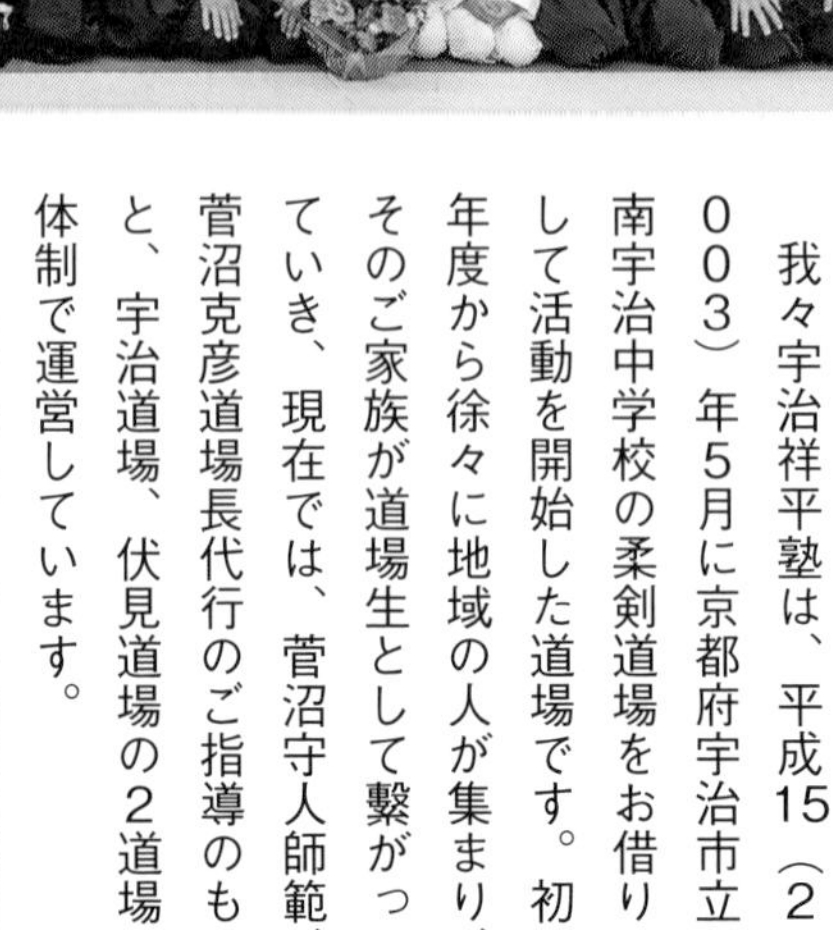

我々宇治祥平塾は、平成15（2003）年5月に京都府宇治市立南宇治中学校の柔剣道場をお借りして活動を開始した道場です。初年度から徐々に地域の人が集まり、そのご家族が道場生として繋がっていき、現在では、菅沼守人師範、菅沼克彦道場長代行のご指導のもと、宇治道場、伏見道場の2道場体制で運営しています。

コロナ禍により、一時的に稽古が中止または非接触となり、道場生が半減しました。しかし、今では古い道場生の復帰組も含めて、元気のよい稽古ができる環境を取り戻すことができています。

祥平塾では、『合気道の修行を通じて心身を鍛練し、健やかな体と安らかな心を養い、今ここを大切にいきいきと生き、自分の本分をつくすこと』を理念としています。

また、宇治祥平塾では、菅沼師範から揮毫を頂いた六然（りくぜん）の会旗のもと『親子三世代が集う、元気になる道場』であり続けたいと願っています。

昨年は道場設立20周年記念行事を開催し、祥平塾傘下の道場の多くの方にご出席いただくことができました。また、師範はもとより、20年来の道友に支えられ、ここまで続けてこられたことに深く感謝しています。

これからも宇治祥平塾では面授（めんじゅ）面受（めんじゅ）の精神を大切に日々の稽古に取り組んでいきたいと思います。

Dojo Data

［道場名］合気道宇治祥平塾

［責任者氏名］越智泰造

［電話番号］075-622-8226

［携帯番号］090-8142-2826

［E-mail］uji.shouheijyuku@gmail.com

［創立年月日］平成15（2003）年5月10日

［稽古場所］

宇治道場：宇治市・南宇治中学校柔剣道場

伏見道場：京都市・伏見青少年センター

［稽古日・時間］

宇治道場：火曜日／19：00～20：00

土曜日／18：00～19：00

伏見道場：日曜日／10：15～11：15

［会員数］約35名

愛媛県

【愛媛合気会】

愛媛合気会は愛媛大学合気道部卒業生が、卒業後の稽古場として開設しました。同合気道部は60年前、山口県の中村克也師範のご指導のもと創部し、現在も同部および愛媛合気会は中村師範のご指導をたまわっています。

設立当初は愛媛大学に近い道後温泉近くの旧愛媛県武道館で稽古をしていました。そして、20年前に新武道館が現在の松山中央公園に移転してからは、そちらで稽古を続けています。また、大学により近い棟田道場（柔道家棟田康幸先生の道場）でも稽古をしています。設立当時からの松田正司、堀内修三、池浦麻美に加え津田裕輔道場長など複数の若手会員の指導者が増えています。

稽古には一般会員に加え、愛媛大学、同医学部道場の学生も加わって、熱心に稽古をしています。愛媛県合気道連盟は毎年、本部道場指導部師範・指導員をお迎えして地域社会武道指導者研修会を開催していますが、愛媛合気会も全員この研修会に参加し、実りのあるありがたいご指導をたまわっています。

コロナ渦の中では、杖や短刀などを用いた非接触の稽古を工夫し、会員数はほとんど減りませんでした。一方、大学の厳しい活動制限を受けた合気道部の部員数は激減しましたが、本年2月の愛媛県合気道連盟設立20周年記念での植芝充央本部道場長のご指導、模範演武に刺激を受けた学生の元気回復もあり、2か月後の4月にはV字回復の兆しも見えています。今後とも皆様のご指導、ご鞭撻をたまわりますよう、よろしくお願い申し上げます。

Dojo Data

[道場名] 愛媛合気会
[責任者氏名] 松田正司
[電話番号] 089-964-7258
[携帯番号] 080-9834-9597
[E-mail] matsuda@kmh.biglobe.ne.jp
[創立年月日]
昭和62（1987）年11月
※平成19（2007）年6月愛媛合気会として再登録
[稽古場所] 愛媛県武道館、棟田武道場
[稽古日・時間]
水曜日／19：00～21：00
金曜日／19：00～21：00
日曜日／19：00～21：00
[会員数] 約20名

合気道トピックス

2024
2/10

令和5年度中学武道授業（合気道）指導法研究事業

（主催＝（公財）日本武道館、（公財）合気会、日本武道協議会、後援＝スポーツ庁）

令和5年度中学武道授業（合気道）指導法研究事業は2月10日、日本武道館大会議室で開催された。（公財）合気会からは指導法研究者として金澤威総務部長、鈴木俊雄本部道場指導部師範、日野皓正同師範、また事務局として栗林孝典渉外部長、総務部飯原宏亨が参加し、学校教育における合気道の授業をより充実させるための話し合いが行なわれた。

2024
2/11

山梨県合気道連盟主催合同講習会

山梨県合気道連盟主催合同講習会は2月11日、緑が丘スポーツ公園・体育館内武道場で開催され、藤巻宏本部道場指導部師範が指導にあたった。コロナ禍によって休止を余儀なくされていたが、第9回目として再開した。暖かい気候の中、参加者は気持ち良く汗を流した。

2024
3/1～3

第6回外国人留学生等対象国際武道文化セミナー

第6回外国人留学生等対象国際武道文化セミナーは3月1日～3日、日本武道館研修センターで開催された。本セミナーは留学生ならびに大使館職員等を対象に行なわれ、日本の武道文化を通じて国際的理解を深め、国際友好親善に寄与することを目的としている。

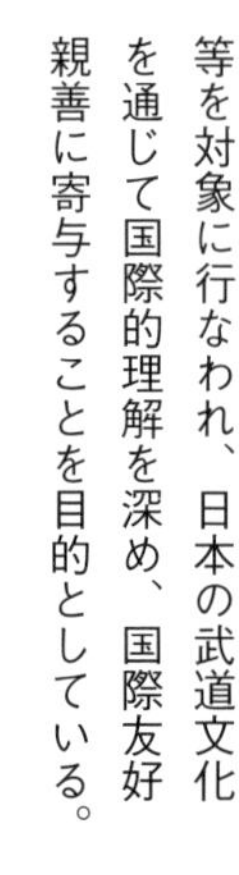

合気道からは入江嘉信本部道場指導部師範、小山雄二同師範、里舘潤同指導員、有馬隼人同指導員が派遣され、演武とワークショップを行なった。

2024
3/2

合気道兵庫県連盟令和5年度少年少女錬成大会・実技指導者講習会兼第77回兵庫県民スポーツ大会

合気道兵庫県連盟令和5年度少年少女錬成大会・実技指導者講習会兼第77回兵庫県民スポーツ大会は3月2日、兵庫県立武道館で開催され、日野皓正本部道場指導部師範が指導にあたった。少年少女錬成大会には小中学生48名が、続いて行なわれた実技指導者講習会には一般111名が参加した。

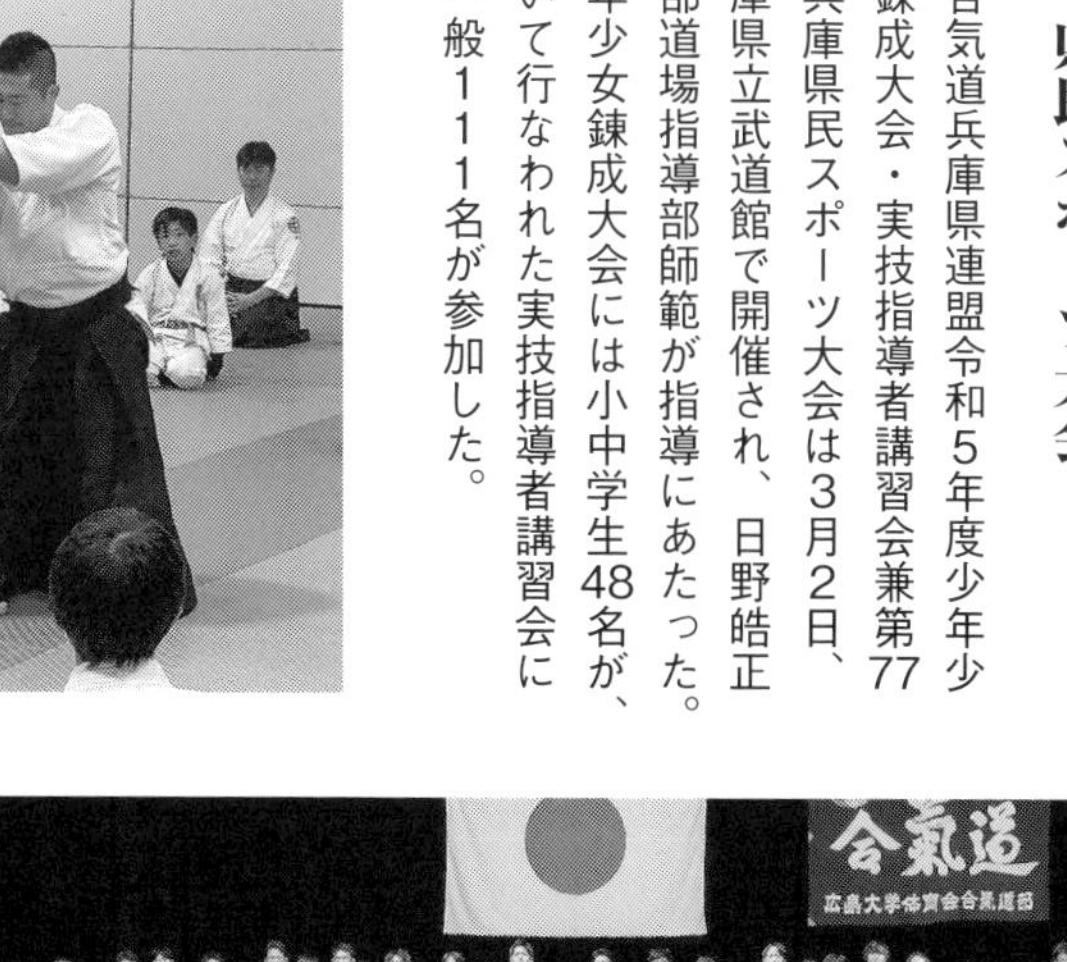

2024
3/3

広島大学体育会合氣道部50周年記念演武大会

広島大学体育会合氣道部50周年記念演武大会は3月3日、植芝守央道主を招いて、広島県民文化センターで開催された。会場には230名以上が来場した。現役部員のみならず、師範、OB・OG、他大学合気道部など、総勢66組、95名以上が演武を行ない、日頃の稽古の成果を発揮するとともに、広島大学体育会合氣道部50年の歩みを祝した。

2024
3/6

令和6年度武道振興大会

令和6年度武道振興大会は3月6日、東京・永田町の衆議院第一議員会館で開催された。（公財）合気会からは植芝守央道主をはじめ、（公財）合気会役員ら16名が出席した。

2024
3/9・10

広島県合気道連盟春季特別講習会

広島県合気道連盟春季特別講習会は3月9・10日、広島県立総合体育館武道場で開催され、藤巻宏本部道場指導部師範が指導にあたった。県内24団体、県外3団体、5大学の計32団体から、2日間で延べ194名が参加した。

2024
3/26

関東地区高等学校合気道講習会

関東地区高等学校合気道講習会は3月26日、東京武道館で開催され、梅津翔本部道場指導部師範が指導にあたった。12校から100名を超える高校生が参加した。

2024 4/7

小牧合気会設立40周年記念講習会

小牧合気会設立40周年記念講習会は4月7日、植芝充央本部道場長を招いて、小牧市南スポーツセンター小牧武道館で開催された。35団体から約160名が参加した。

2024 4/13

岩手県合気道連盟50周年祝賀会

岩手県合気道連盟50周年祝賀会は4月13日、植芝守央道主を招いて、盛岡グランドホテルで開催された。約100名が参加した。

2024 4/20・21

熊野古道世界遺産登録20周年記念・令和6年度植芝盛平翁顕彰事業 合気道国際奉納演武会、特別講習会

熊野古道世界遺産登録20周年記念・令和6年度植芝盛平翁顕彰事業 合気道国際奉納演武会、特別講習会は4月20・21日、植芝充央本部道場長を招いて、和歌山県田辺市の熊野本宮大社旧社「大斎原（おおゆのはら）」で開催された。植芝本部道場長が奉納演武を行ない、それに先立ち行なわれた特別講習会には国内外から約100名が参加した。

2024 5/12

鶴岡八幡宮春季奉納演武大会・菖蒲祭

鶴岡八幡宮春季奉納演武大会・菖蒲祭は5月12日、植芝充央本部道場長を招いて、鶴岡八幡宮研修道場で開催された。奉納稽古は1時間半行なわれ、43団体284名が参加した。その後、奉納演武大会が行なわれ、参加者は日頃の稽古の成果を奉納し、最後は植芝本部道場長の総合演武で締めくくられた。

2024 5/12

長野県合気道連盟技術講習会

長野県合気道連盟技術講習会は5月12日、松本市柔剣道場で開催され、栗林孝典本部道場指導部師範が指導にあたった。講習会には約120名が参加した。

地域社会指導者研修会

静岡県（藤枝市）地域社会合気道指導者研修会

2024 2/10・11

2月10・11日、静岡県武道館で開催された。中央講師として森智洋本部道場指導部師範、中村仁美同指導員が派遣された。地元講師は石原克博静岡県合気道連盟理事長が務めた。17団体から約100名が参加した。

愛知県（名古屋市）地域社会合気道指導者研修会

2024 2/10・11

2月10・11日、愛知県立武道館で開催された。中央講師として大澤勇人本部道場指導部師範、梅津翔同師範が派遣された。地元講師は鷹羽保夫愛知県合気道連盟副会長兼理事長、神谷英志同連盟理事が務めた。連盟加盟の37団体より149名が参加した。

兵庫県（姫路市）地域社会合気道指導者研修会

2024 2/17・18

2月17・18日、兵庫県立武道館で開催された。中央講師として難波弘之本部道場指導部師範、藤田すみれ同指導員が派遣された。地元講師は山田芳朗合気道兵庫県連盟会長、野田和利合気道神戸せいぶ館指導員が務めた。連盟加盟の18団体より208名が参加した。

東京都（足立区）地域社会合気道指導者研修会

2024 3/2・3

3月2・3日、東京武道館で開催された。中央講師として櫻井寛幸本部道場指導部師範、深浦徹也同指導員が派遣された。地元講師は藤城清次郎東京都合気道連盟理事長、大田勤同連盟副理事長が務めた。連盟加盟団体より36団体66名が参加した。

香川県（高松市）地域社会合気道指導者研修会

2024 6/8・9

6月8・9日、香川県立武道館で開催された。中央講師として栗林孝典本部道場指導部師範、梅津翔同師範が派遣された。地元講師は山本煕之香川県合気道連盟会長、西原浩同連盟理事長が務めた。講習会には56名が参加した。

宮城県（仙台市）地域社会合気道指導者研修会

2024 6/15・16

6月15・16日、宮城県第二総合運動場で開催された。中央講師として入江嘉信本部道場指導部師範、有馬隼人同指導員が派遣された。地元講師は白川勝敏宮城県合気道連盟会長、吉田洋孝同連盟理事長が務めた。講習会には116名が参加した。

海外派遣レポート

現在、世界約140の国と地域に広がる合気道の輪。さらなる普及と指導のため合気道本部道場指導部の師範・指導員の派遣が盛んになっていきます。

JANUARY 19th-21st,2024
台湾国際合気道連盟主催講習会

1月19日～21日、台湾の台北市で台湾国際合気道連盟（TIAA）講習会が行なわれ、入江嘉信本部道場指導部師範が派遣された。台北市大安高級工業職業学校体育館で行なわれ、約100名が参加した。

FEBRUARY 17th-19th,2024
合気道オブ・ヒロ講習会

2月17日～19日、ハワイで合気道オブ・ヒロ主催の講習会が行なわれ、日野皓正本部道場指導部師範が派遣された。講習会には37名が参加した。講習会に先立ち、昨年10月に亡くなられた合気道オブ・ヒロ代表のバーバラ・クライン師範への黙禱が捧げられた。

FEBRUARY 21st-27th,2024
ブルガリア合気道協会主催講習会

2月21日～27日、ブルガリアの首都ソフィアでブルガリア合気道協会主催講習会が行なわれ、伊藤眞本部道場指導部師範が派遣された。セントジョージスポーツセンター道場で講習会が行なわれ、130名が参加した。

MARCH 2nd-3rd,2024
合気会フィリピンズ・FFA講習会

3月2、3日、フィリピンのマニ

ラ市にあるサン・ロレンツォ体育館で合気会フィリピンズ・FFA講習会が行なわれ、藤巻宏本部道場指導部師範が派遣された。講習会には18名が参加した。

MARCH 8th-10th,2024

ルーマニア合気会合気道連盟春季講習会

3月8日～10日、ルーマニアのクルージュ・ナポカでルーマニア合気会合気道連盟春季講習会が行なわれ、日野皓正本部道場指導部師範が派遣された。ルーマニアのほかにモルドバからも参加があり、40名が参集した。

MARCH 9th-10th,2024

ハンガリー合気会主催講習会

3月9、10日、ハンガリーのブダペストでハンガリー合気会主催講習会が行なわれ、栗林孝典本部道場指導部師範が派遣された。ハンガリー各地はもとより、隣国スロバキア、チェコ、オーストリア、セルビア、ブルガリアはじめ、ヨーロッパ各地からのメンバーも合せて、200名程度が参加した。

MARCH 29th-31st,2024

中華民国合気道推進訓練協進会講習会

3月29日～31日、台湾の台北市で中華民国合気道推進訓練協進会主催の講習会が行なわれ、伊藤眞本部道場指導部師範が派遣された。講習会には協進会と台湾国内団体合わせて70名程が参加した。

APRIL 5th-7th,2024

聖武館道場桜セミナー

4月5日～7日、アメリカのワシントンで聖武館道場の桜セミナーが行なわれ、日野皓正本部道場指導部師範が派遣された。今回が本部道場から初めて指導者が派遣される講習会となった。セミナーには60名が参加した。

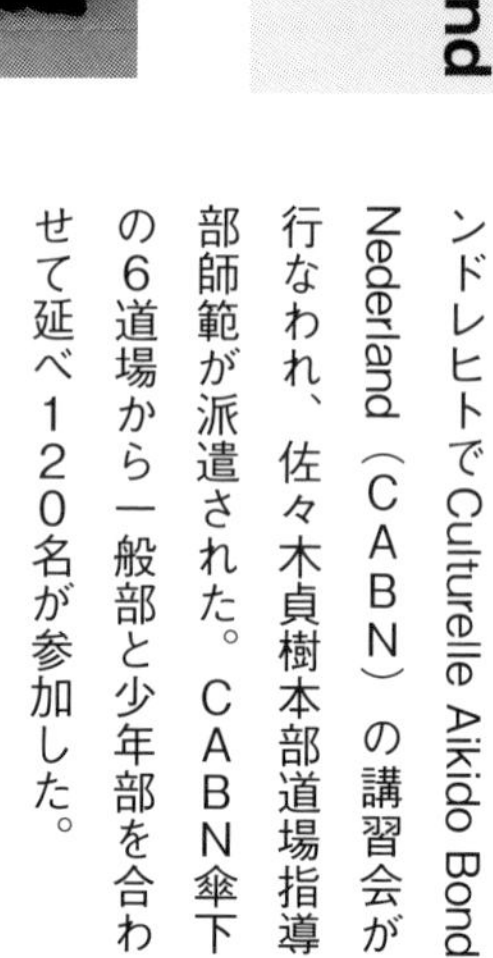

APRIL 12th-14th,2024
Culturelle Aikido Bond Nederland（CABN）講習会

4月12日〜14日、オランダのパペンドレヒトでCulturelle Aikido Bond Nederland（CABN）の講習会が行なわれ、佐々木貞樹本部道場指導部師範が派遣された。CABN傘下の6道場から一般部と少年部を合わせて延べ120名が参加した。

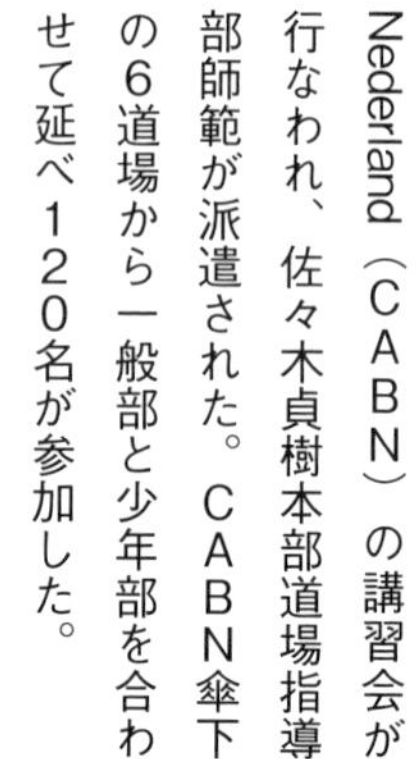

MAY 3rd-5th,2024
スペイン・フェイレーン道場明修館講習会

5月3日〜5日、スペインのバルセロナでフェイレーン道場明修館講習会が行なわれ、栗林孝典本部道場指導部師範が派遣された。ポーランド、バルセロナはじめスペイン各地はもちろん、ヨーロッパ各地やアメリカ、カナダから、会場の人数制限ぎりぎりの110名が参加した。

JUNE 14th-16th,2024
ブルガリア合気道連盟講習会

6月14日〜16日、ブルガリアのソフィアでブルガリア合気道連盟の講習会が行なわれ、栗林孝典本部道場指導部師範が派遣された。講習会には約150名が参加した。

（公財）合気会主催巡回指導

FEBRUARY 1st-4th,2024
タンザニア巡回指導

2月1日〜4日、鈴木俊雄本部道場指導部師範と里舘潤同指導員がタンザニア連合共和国のダルエスサラーム市に派遣され、稽古指導と昇段審査を行なった。国内の2団体から約30名が参加した。

タンザニア国内は経済も徐々に発展してきているものの、継続して習

い事をする文化はまだ浸透していないそうだ。しかし、会員の合気道の稽古に取り組む姿勢は非常に熱心であり、タンザニアの発展に伴い合気道の人口も増えていくことが期待される。

FEBRUARY 14th-19th,2024

インド巡回指導

2月14日～19日、桂田英路本部道場指導部師範がインドのムンバイに派遣され、稽古指導と昇段審査を行なった。ムンバイを中心に、デリー、プネ、チェンナイから約80名が参加した。

代表のDB・Rei氏は、社会的には男女が一緒にグループを組むことはないというインドにおいて、合気道では積極的に男女混合・共通という認識を新たにしようとするなど、国や地域特有の事象を改善・工夫しており、強いリーダーシップや率先して行なう強さが感じられる。

FEBRUARY 22nd-24th,2024

カンボジア巡回指導

2月22日～24日、梅津翔本部道場指導部師範と藤田すみれ同指導員がカンボジアのプノンペンに派遣され、稽古指導と昇段審査を行なった。講習会にはプノンペンとシェムリアップ、隣国ベトナムから、29名が参加した。

25日には、プノンペン王立大学で開かれた「キズナフェスティバル」で演武と体験会が行なわれた。カンボジア合気道協会は、会長の世代交代を経て、若い世代を中心に熱心な運営を行なっている。

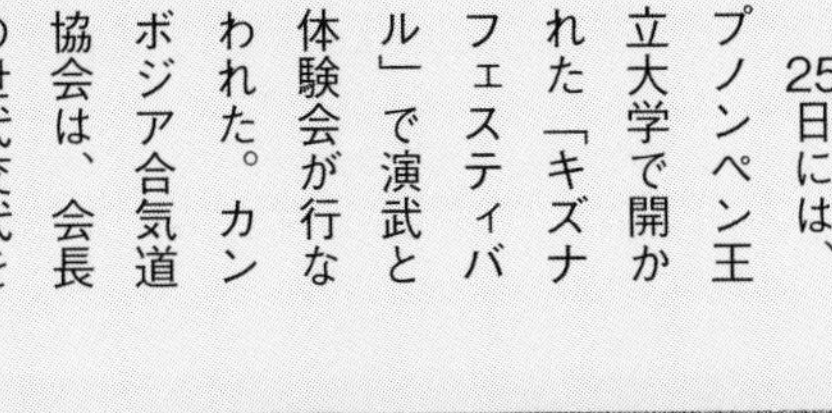

MARCH 14th-18th,2024

ベトナム巡回指導

3月14日～18日、難波弘之本部道場指導部師範がベトナムのホーチミン市、ホーチミン合気道協会に派遣された。Q7マーシャルアーツクラブにて行なわれた稽古には27団体から96名が参加した。

ホーチミン合気道協会は、3年後の2027年に70周年記念の大会を開催する予定である。会員数はコロナ禍以前の約半数に減少しているが、熱心な会員が多く、今後ますますの発展が期待される。

MARCH 23rd-24th,2024

ネパール巡回指導

3月23日～24日、佐々木貞樹本部道場指導部師範がネパールの首都カトマンズに派遣され、同国のネパール合気会合気道協会の講習会で稽古を行なった。稽古は各日午前午後の2コマずつ行なわれ、30名が参加した。参加者は皆終始明るい雰囲気の中、活気溢れる動きを見せた。

同協会は新聞などの各種メディアにも積極的に働きかけ、広報活動にも力を入れている。総人口に対する若年層の割合が非常に高い現在のネパールにおいて、合気道はますます活発化することが期待される。

第14回国際合気道大会のお知らせ

下記のとおり、第14回国際合気道大会が開催されます。

記

1　期間　：　9月30日（月）～10月6日（日）

2　場所　：　（1）国際合気道連盟総会及び講習会：国立オリンピック記念青少年総合センター（代々木）
（2）さよならパーティ：京王プラザホテル

3　日程　：　（1）国際合気道連盟総会（関係者のみ）：9月30日（月）～10月1日（火）
（2）講習会及びさよならパーティー：下表のとおり

<table>
<tr><th></th><th>10月2日（水）</th><th>10月3日（木）</th><th>10月4日（金）</th><th>10月5日（土）</th><th>10月6日（日）</th></tr>
<tr><td>9:00~10:00</td><td>栗林　孝典</td><td>金澤　威</td><td>藤巻　宏</td><td>宮本　鶴蔵</td><td rowspan="2">道主講習会
(11:00~12:30)</td></tr>
<tr><td>10:30~11:30</td><td>菅原　美喜子</td><td>岡本　洋子</td><td>ミシェリーヌ ティシエ
Micheline Tissier</td><td>クリスチャン ティシエ
Christian Tissier</td></tr>
<tr><td>14:00~15:00</td><td>入江　嘉信</td><td>小林　弘明</td><td>堀井　悦二</td><td>植芝　充央</td><td rowspan="2">さよならパーティー
(15:00~17:00)</td></tr>
<tr><td>15:30~16:30</td><td>トニー スマイバート
Tony Smibert</td><td>ウルフ エバノス
Ulf Evenas</td><td>菅原　繁</td><td rowspan="2">演武会</td></tr>
<tr><td>17:00~18:00</td><td>横田　愛明</td><td>浅井　勝昭</td><td>菅沼　守人</td><td></td></tr>
</table>

※スケジュールは変更になる場合があります。

4　講習会参加費（税込み）

① 各日（5，6日を除く）午前のみ参加	¥3,000
② 各日（5，6日を除く）午後のみ参加	¥4,000
③ 各日（5，6日を除く）終日参加	¥7,000
④ 5日終日参加	¥4,000
⑤ 2～5日連続4日間参加	¥20,000
⑥ 6日道主特別講習会のみ参加	¥3,000
⑦ 2～6日連続5日間参加	¥23,000

※ 講習会には、公益財団法人合気会の会員であれば、どなたでも参加できます。
※ 講習会参加にあたっては「講習会参加申込書及び同意書」が必要です。次のURLから印刷し、所要事項を記入して当日、会場受付に提出してください。sanka_doisho.pdf（knt.co.jp）
※ 参加費は、当日、会場受付で現金（日本円）でお支払いください。（予約は不要です。）
※ 有段者の方は、国際有段者証をお持ちください。
※ お支払いいただいた参加費は、返金に応じられませんので、悪しからずご了承ください。
※ 10月6日(日)の道主特別講習会及びさよならパーティーについては、準備の都合上、あらかじめ参加者数を把握いたしたく、下記のフォームから、ご回答をお願いいたします。ご協力をお願いいたします。

第14回国際合気道大会講習会及びさよならパーティー参加回答フォーム

5　さよならパーティー参加費（税込み）　：　¥10,000

※ さよならパーティーには、公益財団法人合気会の会員とその紹介者であれば、どなたでも参加できます。
※ 参加費は、当日パーティー会場受付で現金（日本円）でお支払いください。

（公財）合気会行事記録・国内関係（令和6〈2024〉年1月～6月）

1月

12/31～1/1　本部道場越年稽古
大晦日の午後11時30分より元旦0時30分まで、植芝守央道主の指導のもと行なわれた。稽古後直会が行なわれた。

6　本部道場稽古始め

6　（公財）合気会茨城支部道場稽古始め

8　日本武道館鏡開き式
正午より日本武道館で開催。開会式のあと、日本武道協議会より武道功労者（冷水照夫全日本合気道連盟監事・和歌山県合気道連盟理事長）、武道優良団体（大分県合気道連盟）の表彰、続いて鎧着初め式と鏡開き式があり、その後各道演武、武道始めが行なわれた。

13　全日本合気道連盟理事会
12時半より合気会会議室で開催。植芝守央道主挨拶のあと、尾﨑晌理事長が議長となり議事が行なわれた。

13　（公財）合気会全国道場・団体連絡会議
午後2時30分より本部道場で開催。植芝守央道主挨拶のあと、植芝充央本部道場長が議長に選出され、議事を行なった。金澤威合気会総務部長から令和5年度の合気会主要行事報告と令和6年度の合気会主要行事予定の報告があり、そのほか連盟、各担当より報告がなされた。

13　（公財）合気会新年賀詞交換会
午後5時より東京・新宿の京王プラザホテルで、（公財）合気会役員、全国登録道場の指導者ら多数が参集して開催。会は植芝守央道主の挨拶に始まり、一同和やかに交流歓談した。

14　本部道場鏡開き式
午後2時より開催。植芝守央道主が年頭の挨拶、その後奉納演武が披露され、続いて「推薦昇段者」の発表および証書授与式が行なわれた。

21　茨城支部道場鏡開き式
合気神社月次祭のあと、正午から茨城支部道場で植芝守央道主のもと、来賓、役員、指導部、地元会員が参加して行なわれた。

22～31　本部道場寒稽古
植芝守央道主をはじめ、本部道場指導部各師範の指導で行なわれ、厳寒の中、多数の会員が参加した。皆勤者には皆勤証と記念品が渡された。

25　東京武道館広域合同稽古
鈴木俊雄本部道場指導部師範が指導を担当した。

27・28　令和5年度指導者候補講習会
合気道のさらなる発展を見据え、次代の指導者に指導法に関する実技と講義が、東京都・港区スポーツセンターで開催された。講師は植芝守央道主はじめ、植芝充央本部道場長、前川直也国際武道大学教授、入江嘉信、櫻井寛幸、日野皓正各本部道場指導部師範が担当した。

2月

5・6　IAF連絡調整会議
合気会会議室で開催され、IAFの活動状況や今後の活動計画などについての情報共有と調整が行なわれた。

10　令和5年度中学武道授業（合気道）指導法研究事業（主催＝（公財）日本武道館、（公財）合気会、日本武道協議会、後援＝スポーツ庁）
学校教育における合気道の授業をより充実させるための話し合いが、日本武道館大会議室で行われた。

10・11　愛媛県合気道連盟20周年記念行事
植芝充央本部道場長を招き、愛媛県武道館で開催された。

10・11　静岡県（藤枝市）地域社会合気道指導者研修会
静岡県武道館で開催され、中央講師として森智洋本部道場指導部師範、地元講師として石原克博静岡県合気道連盟理事長が指導を行なった。

10・11　愛知県（名古屋市）地域社会合気道指導者研修会
愛知県立武道館で開催され、中央講師として大澤勇人本部道場指導部師範、地元講師として鷹羽保夫愛知県合気道連盟副会長兼理事長、神谷英志同連盟理事が指導を行なった。

11　山梨県合気道連盟主催合同講習会
藤巻宏本部道場指導部師範を迎えて、緑が丘スポーツ公園・体育館内武道場で開催された。

17・18　兵庫県（姫路市）地域社会合気道指導者研修会
兵庫県立武道館で開催され、中央講師として難波弘之本部道場指導部師範、地元講師として山田芳朗合気道兵庫県連盟会長、野田和利合気道神戸せいぶ館指導員が指導を行なった。

24～3/4　令和5年度合気道学校後期修了式
上級課程3／1、中級課程2／24、初級課程3／4にそれぞれ行なわれた。

25　少年部指導法講習会
鈴木俊雄本部道場指導部師範を迎えて、港区スポーツセンターで開催された。

3月

1～3　第6回外国人留学生等対象国際武道文化セミナー
日本武道館研修センターで開催され、本部道場指導部から入江嘉信師範、小山雄二師範、里舘潤指導員、有馬隼人指導員が派遣された。

2　合気道兵庫県連盟令和5年度少年少女錬成大会・実技指導者講習会兼第77回兵庫県民スポーツ大会
日野皓正本部道場指導部師範を迎えて、兵庫県立武道館で開催された。

2・3　東京都（足立区）地域社会合気道指導者研修会
東京武道館で開催され、中央講師として櫻井寛幸本部道場指導部師範、地元講師として藤城清次郎東京都合気道連盟理事長、大田勤同連盟副理事長が指導を行なった。

3　広島大学体育会合気道部50周年記念演武大会

植芝守央道主を招き、広島県民文化センターで開催された。

6　**令和6年度武道振興大会**
東京・永田町の衆議院第一議員会館で開催され、（公財）合気会からは植芝守央道主をはじめ、（公財）合気会役員ら16名が出席した。

6・7　**関東学生合気道連盟春期講習会**
桂田英路本部道場指導部師範を迎えて、日本武道館研修センターで開催された。

9・10　**広島県合気道連盟春季特別講習会**
藤巻宏本部道場指導部師範を迎えて、広島県立総合体育館武道場で開催された。

14　**東京武道館広域合同稽古**
櫻井寛幸本部道場指導部師範が指導を担当した。

16・17　**北海道学生合気道連盟春期講習会**
小山雄二本部道場指導部師範を迎えて、北海道大学武道場で開催された。

18　**東北学生合気道連盟春期講習会**
里舘潤本部道場指導部指導員を迎えて、東北大学川内キャンパス柔道場で開催された。

19　**（公財）合気会理事会**
本部道場3階道場で開催。理事長である植芝守央道主が議長に選出され、議事進行。令和6年度事業計画案、収支予算案等が審議された。

19　**関西学生合気道連盟春期講習会**
小山雄二本部道場指導部師範を迎えて、吹田市立武道館洗心館で開催された。

19・20　**中部学生合気道連盟春期講習会**
鈴木俊雄本部道場指導部師範を迎えて、枇杷島スポーツセンターと愛知県武道館で開催された。

21・22　**中・四国学生合気道連盟春期講習会**
梅津翔本部道場指導部師範を迎えて、香川県立武道館で開催された。

24　**合気道土井道場45周年記念大会**
鈴木俊雄本部道場指導部師範を迎えて、葛飾区水元総合スポーツセンターで開催された。

26　**関東地区高等学校合気道講習会**
梅津翔本部道場指導部師範を迎えて、東京武道館で開催された。

4月

7　**小牧合気会設立40周年記念講習会**
植芝充央本部道場長を招き、小牧市南スポーツセンター小牧武道館で開催された。

13　**岩手県合気道連盟50周年祝賀会**
植芝守央道主を招き、盛岡グランドホテルで開催された。

18　**東京武道館広域合同稽古**
難波弘之本部道場指導部師範が指導を担当した。

20・21　**熊野古道世界遺産登録20周年記念・令和6年度植芝盛平翁顕彰事業　合気道国際奉納演武会、特別講習会**
植芝充央本部道場長を招き、熊野本宮大斎原にて奉納演武会が行なわれ、それに先立ち講習会も開催された。

22~24　**令和6年度合気道学校前期開講式**
上級課程23日、中級課程24日、初級課程22日にそれぞれ行われた。

26　**開祖植芝盛平翁御命日**
開祖・植芝吉祥丸二代道主を偲ぶ会
午後7時より本部道場で開催。植芝守央道主の挨拶のあと映写会を行ない、その後直会を行なった。

29　**合気神社例大祭、開祖・吉祥丸二代道主慰霊祭（主催・植芝家）**
茨城県笠間市・合気神社にて午前11時より神事執行。その後、植芝守央道主、植芝充央本部道場長による奉納演武が行なわれた。

5月

12　**鶴岡八幡宮春季奉納演武大会・菖蒲祭（主催・鶴岡八幡宮）**
植芝充央本部道場長を招き、鶴岡八幡宮研修道場で講習会、奉納演武が行なわれた。

12　**長野県合気道連盟技術講習会**
栗林孝典本部道場指導部師範を迎えて、松本市柔剣道場で開催された。

17　**（公財）合気会理事会・定時評議員会**
午前11時より本部道場3階で開催。理事会では植芝守央理事長、植芝充央専務理事、林典夫常務理事の職務執行状況報告が行なわれ、すべての議事が承認され、満場一致で閉会した。その後、定時評議員会が開催され、すべての議事について満場一致で承認された。

24　**令和6年度全日本合気道連盟理事会・定時評議員会**
東京・神田の日本教育会館で開催。尾﨑晌理事長が議長となり議事が行なわれた。

25　**第61回全日本合気道演武大会（主催＝（公財）合気会、後援＝スポーツ庁、東京都、（公財）日本武道館、NHK、日刊スポーツ新聞社、協力＝全日本合気道連盟）**
日本武道館で正午より開催。本部道場をはじめ、全国の師範、登録道場、地域連盟、学生連盟、中・高等学校、文化センター、社会人団体、合気道学校などが演武を展開、最後に植芝守央道主の総合演武で締めくくられた。

6月

4　**東京武道館広域合同稽古**
小山雄二本部道場指導部師範が指導を担当した。

8・9　**香川県（高松市）地域社会合気道指導者研修会**
香川県立武道館で開催され、中央講師として栗林孝典本部道場指導部師範、梅津翔同部師範、地元講師として山本熙之香川県合気道連盟会長、西原浩同連盟理事長が指導を行なった。

15・16　**宮城県（仙台市）地域社会合気道指導者研修会**
宮城県第二総合運動場で開催され、中央講師として入江嘉信本部道場指導部師範、地元講師として白川勝敏宮城県合気道連盟会長、吉田洋孝同連盟理事長が指導を行なった。

16　**北海道合気道連盟春季講習会**
梅津翔本部道場指導部師範を迎えて、千歳市開基記念総合武道館で開催された。

（公財）合気会行事予定・国内関係（令和6〈2024〉年7月～12月）

7月

21 全日本少年少女合気道錬成大会

22～31 本部道場暑中稽古

27 第20回神奈川県合気道大会

27・28 岐阜県合気道連盟講習会

28 東京都合気道連盟初心者指導法講習会

8月

2 第21回全国高等学校合気道演武大会

21 令和の日本型学校体育構築支援事業講習会

24・25 千葉県地方青少年合気道錬成大会

31・9/1 秋田県地域社会指導者研修会

9月

10～19 令和6年度合気道学校前期修了式
10日上級課程　14日中級課程　19日初級課程

14 全三菱演武大会

14 日本女子大学合気道部60周年式典

21・22 広島県地域社会指導者研修会

21・22 和歌山県地域社会指導者研修会

22 関西地区合同合気道研鑽会

28 中部学生合気道連盟演武大会

30～10/6 第14回国際合気道大会

10月

1～3 令和6年度合気道学校後期開講式
1日上級課程　2日中級課程　3日初級課程

12 北海道学生合気道連盟演武大会

19 中・四国学生合気道連盟演武大会

19・20 田辺市植芝盛平翁顕彰事業「植芝盛平翁の故郷を訪ねて」

19・20 富山県地域社会指導者研修会

19・20 愛媛県地域社会指導者研修会

26 関西学生合気道連盟演武大会

11月

1～3 第12回全国合気道指導者研修会

9 千葉工業大学合気道部創部60周年祝賀会

10 千葉県合気道連盟創立40周年記念大会

10 福井県合気道連盟講習会

16 東京都合気道演武大会

16・17 栃木県地域社会指導者研修会

17 愛知県合気道連盟講習会

22～24 合気道同世代交流合宿

30 第62回全国学生合気道演武大会

12月

7 全自衛隊合気道演武大会

21・22 東京都地域社会指導者研修会

25 本部道場稽古納め

31～1/1 越年稽古

※6月20日現在の年間予定です。状況によって変更があります。

（公財）合気会行事記録・国外関係（令和6〈2024〉年1月～6月）

1月

18～23 **バイヨン合気スクール主催講習会**
伊藤眞本部道場指導部師範が派遣され、モロッコのカサブランカで指導を行なった。

19～22 **台湾国際合気道連盟（TIAA）主催講習会**
入江嘉信本部道場指導部師範が派遣され、台北市で指導を行なった。

2月

1～4 **タンザニア巡回指導**
鈴木俊雄本部道場指導部師範と里舘潤同指導員が派遣され、ダルエスサラームで指導を行なった。

14～19 **インド巡回指導**
桂田英路本部道場指導部師範が派遣され、ムンバイで指導を行なった。

17～19 **合気道オブ・ヒロ講習会**
日野皓正本部道場指導部師範が派遣され、ハワイで指導を行なった。

21～26 **カンボジア巡回指導**
梅津翔本部道場指導部師範と藤田すみれ同指導員が派遣され、プノンペンで指導を行なった。

21～27 **ブルガリア合気道協会主催講習会**
伊藤眞本部道場指導部師範が派遣され、ソフィアで指導を行なった。

3月

2～3 **合気会フィリピンズ・FFA講習会**
藤巻宏本部道場指導部師範が派遣され、マニラで指導を行なった。

8～10 **ルーマニア合気会合気道連盟春季講習会**
日野皓正本部道場指導部師範が派遣され、クルージュ・ナポカで指導を行なった。

9～10 **ハンガリー合気会主催講習会**
栗林孝典本部道場指導部師範が派遣され、ブダペストで指導を行なった。

14～18 **ベトナム巡回指導**
難波弘之本部道場指導部師範が派遣され、ホーチミンで指導を行なった。

21～25 **ネパール巡回指導**
佐々木貞樹本部道場指導部師範が派遣され、カトマンズで指導を行なった。

21～28 **蓮和会主催講習会（フランス）**
金澤威本部道場指導部師範が派遣され、クレモンフェラン、トゥールーズ、リヨンで指導を行なった。

29～31 **中華民国合気道推進訓練協進会講習会**
伊藤眞本部道場指導部師範が派遣され、台湾の台北市で指導を行なった。

4月

5～7 **聖武館道場桜セミナー（アメリカ）**
日野皓正本部道場指導部師範が派遣され、ワシントンで指導を行なった。

12～14 **Culturelle Aikido Bond Nederland 講習会**
佐々木貞樹本部道場指導部師範が派遣され、パペンドレヒトで指導を行なった。

18～22 **インドネシア合気会連盟講習会**
伊藤眞本部道場指導部師範が派遣され、ジャカルタで指導を行なった。

5月

3～5 **フェイレーン道場明修館講習会（スペイン）**
栗林孝典本部道場指導部師範が派遣され、バルセロナで指導を行なった。

10～13 **MaAI 講習会（フィリピン）**
伊藤眞本部道場指導部師範が派遣され、ケソン市で指導を行なった。

16～20 **合気道合気会センターポーランド講習会**
森智洋本部道場指導部師範が派遣され、ステラ・ビエシで指導を行なった。

31～6/3 **大韓合気道会講習会**
梅津翔本部道場指導部師範が派遣され、ソウルで指導を行なった。

6月

7～9 **スロバキア合気道協会30周年記念講習会**
植芝充央本部道場長を招き、トルナヴァで開催された。

6～12 **カナダ合気道連合講習会**
伊藤眞本部道場指導部師範が派遣され、マニングパークで指導を行なった。

14～16 **ブルガリア合気道連盟講習会**
栗林孝典本部道場指導部師範が派遣され、ソフィアで指導を行なった。

14～16 **親睦会サマーセミナー**
日野皓正本部道場指導部師範が派遣され、カリフォルニアで指導を行なった。

（公財）合気会行事予定・国外関係（令和6〈2024〉年7月～12月）

7月

25～29 インドネシア・Aikido Ikiru Dojo 講習会

8月

2～11 British Aikido Federation 講習会
8～17 フランス・昭友館講習会
14～21 United Kingdom Aikikai 講習会
24・25 Union Argentina Aikido Aikikai 講習会
28～9/1 ブラジル・Tanrenkai 講習会

9月

7・8 スペイン・北浦康成 追悼国際講習会
12～15 ノルウェー・オスロ合気道道場講習会
16～18 スウェーデン・ストックホルム合気会講習会
20～22 アメリカ・United States Aikido Federation 講習会

10月

11～13 合気道エルサルバドル講習会
17～21 アメリカ・Aikido World Alliance 講習会
23～29 AAI ポルスカ講習会
25～27 スペイン・Canarias Aikikai Aikido 講習会
28・29 チェコ合気道連合講習会
31～11/6 イタリアにおける合気道60周年記念国際講習会

11月

6～14 令和6年度ベトナム派遣日本武道代表団
15～17 ベルギー合気会講習会
22～25 UAE 講習会

12月

11～17 イタリア・合気会ミラノ講習会
12～17 フランス・Aikido Club Mougins 講習会

※6月20日現在の年間予定です。状況によって変更があります。